FABRICE

BRIGITTE VALLANTIN-DULAC

FABRICE

FRANCE LOISIRS
123, boulevard de Grenelle, Paris

Une édition du Club France Loisirs, Paris,
réalisée avec l'autorisation des Éditions Jean-Claude Lattès

© 1991, Éditions Jean-Claude Lattès.

ISBN : 2-7242-6673-0

« Pour les bien-portants, il faut du génie pour comprendre les malades, pour les malades, il faut de la sainteté pour supporter les bien-portants... »

Le père Carré lors d'un entretien avec Jacques Chancel.

A mon mari
A Christophe

AVANT-PROPOS

J'ai écrit ce livre pour Fabrice qui voulait faire le récit de sa vie afin que cela serve aux médecins, parents, enfants malades – et aux autres –, à comprendre la douleur, la souffrance, la maladie.

C'est l'histoire d'une guerre de dix-neuf années, avec beaucoup de batailles. Je n'en suis pas sortie sans blessures, et faire revivre Fabrice m'a aidée à les cicatriser, même si je reste orpheline de mon fils.

Je ne parle pas beaucoup de mon mari, et de mon autre fils, par respect pour leur vérité. Dans une lutte aussi dramatique, et aussi longue, personne ne peut se mettre à la place de l'autre. Leurs combats, à eux aussi, ont été rudes et douloureux. Dans une vie familiale comme celle que nous avons subie, les priorités changent. La perception du bonheur est autre. L'horizon de la vie n'est jamais complètement bouché. Mais dans cet univers à part, on se retrouve souvent solitaire, chacun avec sa souffrance.

Au cours de ces années, j'ai rencontré des êtres exceptionnels qui m'ont aidée, soutenue, j'ai pu m'appuyer sur notre famille, nos amis. Certains, peut-être, ne se retrouveront pas dans ce récit, centré sur Fabrice, et les soubresauts de sa vie confisquée par la maladie. Mais je n'ai pas oublié leur sourire, leur chaleur, leur compréhension.

Je remercie aussi les médecins, même si tous n'ont pas su réaliser le drame que nous vivions.

Fabrice, victime d'une aberration génétique, souffrait d'un Syndrome Immuno-Déficitaire Héréditaire, voisin du S.I.D.A. (Syndrome Immuno-Déficitaire Acquis). Aujourd'hui, des enfants ont les mêmes souffrances à vivre, leurs proches les mêmes difficultés à les faire survivre.

Fabrice aimait porter secours à ses compagnons d'infortune. Si son histoire provoque une prise de conscience dans l'opinion et auprès du corps médical et des pouvoirs publics de la nécessité de créer des lieux d'accueil pour de tels malades, sa vie n'aura pas été inutile.

Je lui devais cette dernière preuve d'amour.

Mon fils, tu es né le 7 avril 1988, jour de ta mort. Le jour de ta naissance, tu es né mort pour les autres, mais pas pour moi.

Ces dix-neuf années, je vais essayer de les leur raconter comme tu voulais le faire. Car une fois de plus tu m'as prise par la main pour redevenir vivant.

Notre amour infernal ce fut comme un long fleuve intrépide, semé d'embûches, où nous avons navigué ensemble. Un long fleuve de vingt ans de vie si long et si court à la fois. La vie, ta vie, ma vie, notre vie si pleine de douleurs et de joies. La naissance de ta vie a pris sa source par miracle. Des génies malfaisants se sont acharnés à l'empêcher de couler. Il a fallu nager dans des eaux troubles et boueuses où apparaissaient parfois des poissons merveilleux qui devenaient tes amis. Tu les aimais tellement tes amis! Dans l'eau, des algues ont sillonné notre route et on s'y faufilait main dans la main pour se cacher. Il fallait savoir profiter des moments de liberté. Fragiles, nos moments de bonheur toujours à conquérir. Multiples, ces instants de joie fugace. On avait l'impression de les voler à ceux qui avaient fait de nous des marionnettes dont ils tiraient les ficelles à tour de rôle.

Marionnette de ta vie, ficelles d'espérance et d'entraves à la fois. Ficelles du sang des autres, ficelles des hôpitaux, des laboratoires, des centres médicaux où va naviguer ton drôle de destin.

Il a fallu nager dans les torrents qui nous emportaient. Les rochers te faisaient peur; ils te faisaient mal; « j'arrête », criais-tu en me tendant les mains. Les cascades, on les a descendues à se rompre les os et chaque fois, comme un petit poisson, tu remontais à la surface. Les flots nous obligeaient parfois à nous réfugier sur les coteaux, la halte, la paix. L'eau est maligne. Parfois elle disparaissait à nos yeux ébahis sous un gros morceau de pierre. L'obstacle imprévu. Elle réapparaissait loin, avec toi et moi pour étonner la mort.

Pour être heureux, il a fallu se garder jalousement les fils de la marionnette que personne ne pouvait nous prendre. Le fil de l'imaginaire, du rêve. Nos rêves qui se cognaient au désespoir. Le fil du beau dans la musique et la peinture. Le fil de l'amour, le fil de la foi pour toi.

L'amour pour avoir la force de combattre sans faille et croire à la vie jusqu'au bout. La foi qui éclaire le ciel d'une lueur d'espérance quand on y croit. Ta vie m'a fait trop mal pour que le doute et la révolte n'aient pas remplacé mes croyances. Mes interrogations n'ont pas trouvé de réponses au mystère de la souffrance sans répit.

Mais, un soir, tu n'as plus voulu remonter à la surface et j'ai bien voulu te lâcher la main. Le rêve, l'eau, le ciel entre toi et moi. La douleur de la déchirure de mon cœur blessé par tes souffrances et ton absence.

J'ai écrit pour ne pas te quitter définitivement, et pour ne pas éparpiller au vent ces larmes d'or qui t'appartiennent.

I

Bassac – Angoulême, 1968

On est jeune, on se marie, on a envie d'avoir des enfants.

Comme tant d'autres j'ai tressailli de joie en découvrant que j'étais enceinte. J'ai continué à vivre comme avant. La situation nomade de mon mari qui était pilote d'hélicoptère me permit de continuer à voyager.

J'aimais l'aventure mais ignorais que celle qui m'attendait n'était pas celle qui fait rêver les aventuriers.

J'avais confié ma surveillance médicale à un vieux médecin de famille accoucheur.

Je n'ai jamais été malade, je me portais à merveille.

Le 21 octobre 1964, la naissance s'annonça. Mon mari était en mission dans l'île de Crète. Ma mère, chez qui j'étais installée, et qui avait mis au monde cinq enfants, s'inquiéta de la fréquence de mes contractions. Nous partîmes très rapidement à la clinique. Celle-ci a une certaine notoriété car de nombreuses vedettes y accouchent. Ma présence en ce lieu prestigieux était due au seul fait que mon vieil accoucheur y professait depuis des lustres et y avait quelques lits.

On nous fit asseoir dans un salon luxueux meublé de fauteuils de style. Je trouvais la situation inconfortable, et peu appropriée aux douleurs qui sillonnaient mon bas-ventre.

Au bout d'un moment, ma mère demanda que l'on

voulût bien m'examiner. J'avais déjà perdu les eaux. On me fit comprendre que d'habitude une primipare ne se présente pas si rapidement à la clinique. Sur notre insistance, on nous fit entrer dans une salle de soins et une sage-femme vint pratiquer son examen.

Tout à coup, son visage s'assombrit.

Elle demanda que l'on prévienne d'urgence mon médecin. D'après elle, le travail était largement entamé et l'enfant se présentait mal. Je percevais l'inquiétude du personnel. Mon médecin, en fin de carrière, n'arrivait pas. Aucun confrère ne voulait prendre la relève. Le fœtus était bloqué par le cordon ombilical, enroulé autour de son cou.

J'étais maintenant accrochée aux barreaux du lit pour ne pas crier, et le temps me paraissait interminable. Ma sœur, à mon chevet, me donnait du courage.

Enfin, le médecin, retardé par les embouteillages de la circulation parisienne, arriva. Sa gentillesse, sa bonhomie me réconfortèrent et me feront lui pardonner, par la suite, son incompétence.

Trop tard pour me faire une césarienne! Il fallait se débrouiller avec les forceps.

La salle d'opération préparée à cette fin, je fus aussitôt endormie.

Ainsi naquit Christophe, extrait par les pinces qui, apparemment, n'ont pas entamé son jugement! Libéré juste à temps du cordon ombilical étrangleur.

L'intervention aux forceps, nécessaire à la naissance de Christophe, se révéla techniquement bâclée. Personne ne m'en avertit. Deux mois plus tard, il faut m'opérer.

Avant l'opération, déprimée, je retourne voir mon vieil accoucheur pour l'informer. Une fistule importante occasionnée par une manœuvre maladroite s'est produite. Comme je m'étonne du silence complice du médecin et de la clinique, celui-ci me fait cette réflexion : « Bof! ce n'est que mécanique, et vous ne le mettez pas au balcon !... »

Cet homme était âgé et je lui pardonnai. Le chirurgien qui a découvert les dégâts ne décolère pas : « Vous devriez intenter un procès, je vous soutiendrais », me répète-t-il. Avant l'opération il fait défiler devant moi ses collègues et les infirmiers. Il aurait dû s'en abstenir. Cette impression d'être un cobaye accroît votre désarroi et vous humilie. Un peu de décence ne nuit pas.

Mais la restauration est brillante. De l'avis d'éminents professeurs, le travail du chirurgien est remarquable, un vrai travail d'artiste.

Je me remets rapidement de l'intervention. Christophe grandit. Mais il présente des troubles respiratoires, des crises d'asthme, déclare le pédiatre. Le diagnostic est confirmé par un spécialiste qui nous propose de suivre l'enfant. Malgré son handicap, Christophe est un bébé particulièrement éveillé et gai ; il nous émerveille. Avec mon mari, nous avons envie d'en avoir un autre. Le chirurgien qui m'a opérée m'a conseillé d'attendre prudemment deux ans avant d'envisager une nouvelle grossesse.

Enfin la période de prudence prescrite est écoulée. A cette époque nous rêvons encore d'une famille nombreuse. Il ne faut pas perdre trop de temps.

Je suis de nouveau enceinte. Mon mari est provisoirement au chômage, la société aéronautique qui l'emploie venant de déposer son bilan. Je travaille comme représentante dans un institut de beauté pour bénéficier de la couverture de la Sécurité sociale.

La grossesse suit son cours. Au cinquième mois une hémorragie se déclare. Mon mari m'emmène d'urgence dans une clinique du XVe arrondissement où nous habitons. Je fais une fausse couche dans mon lit sous les yeux de mon mari et de l'infirmière. Le gynécologue arrive plus tard. Il ordonne un curetage d'urgence, sur place; je hurle de douleur. C'est le plus dur souvenir de souffrance – physique – de ma vie.

Je me suis demandée s'il n'y avait pas eu là une volonté de me punir; si je n'avais pas été suspectée d'avoir voulu me faire avorter?

Nous avons perdu une petite fille. Je suis terriblement déçue, mais pas vaincue.

Je n'ai pas encore entendu le pire : « Vous savez, vous ne pourrez plus avoir d'enfant », me déclare le médecin le jour de la sortie.

Frustration intolérable, douloureuse. L'enfant, c'est mon droit. Je ne laisserai pas les autres m'en priver. Je résiste au désespoir.

Ma réaction est enfantine. Je ne regarde pas le médecin. Je ne le crois pas. Je ne l'écoute plus. Je ne le questionne même pas. J'ai oublié son visage. Je vais partir sans rien demander, en oubliant même le lieu exact où tout ceci est arrivé. Je n'ai pas cherché à approfondir les raisons de ce brutal verdict. Pourquoi?

Le hasard n'était peut-être pas la seule raison de cet échec.

Avais-je peur, inconsciemment, de découvrir que le destin ne m'était pas aussi clément que je voulais le croire?

Quelques mois plus tard, obnubilée par ce désir d'enfant, je vais consulter à nouveau et l'on me demande des contrôles radiologiques. Le radiologue me rassure :

– Vous avez raison de ne pas croire à votre stérilité. Vous avez peut-être une chance. Cet encouragement crée en moi un regain d'énergie. J'ai toujours eu une bonne santé et je suis sûre que je vais gagner. Je me sens jeune et forte.

Mon mari commence à s'inquiéter mais il me fait confiance. Lui aussi aimerait bien être père à nouveau.

Nous allons refaire une tentative. Nous sommes jeunes et lucides.

Deux mois plus tard, je suis enceinte et j'ai envie de danser.

Quand je passe ma main sur mon ventre, j'ai l'impression d'avoir fabriqué une grosse bombe d'amour, miraculeusement édifiée et plus belle que les autres.

Je les ai eus! Celui que je porte, il existe et je l'aurai. Les ennuis d'avant sont effacés, ne comptent plus.

Pourtant notre vie ne sera plus jamais simple. Le temps des vraies épreuves va commencer.

On m'a demandé d'aller à l'hôpital Bichat pour me faire un cerclage et des examens. Le gynécologue est inquiet. Pas moi; je me sens très bien. Lors de mon séjour, il vient me voir, très chaleureux, très paternel et m'explique ses inquiétudes :

– Cette grossesse est très risquée, il y a quelque chose qui nous échappe, nous n'avons aucune certitude sur son aboutissement ni d'explications sur les difficultés. Si vous voulez avoir cet enfant, il va falloir rester parfaitement immobile jusqu'à la fin!

Toutefois il ne me dit pas qu'il y a un risque de malformation pour le bébé. Il reste six mois à accomplir. Six mois dans une vie, c'est une halte au bord d'un ruisseau. Le métier de pilote d'hélicoptère étant peu conciliable avec une vie de famille, mon mari a décidé, avec beaucoup de regrets, d'abandonner l'aviation. Il vient de passer avec succès un examen qui lui permet d'accéder à un poste commercial dans une importante compagnie d'assurances. Il est affecté à Saumur. Mes beaux-parents me proposent de venir m'installer chez eux à Bassac, dans les Charentes. Ma belle-mère et Madeleine, la gouvernante de la maison, s'occuperont de Christophe, âgé de trois ans et demi.

Ma belle-mère, femme énergique et affectueuse, prend tout en main. En ce qui concerne ma grossesse, elle est incrédule, et ne se gêne pas pour me le dire brutalement :

— Ces médecins sont fous, cet enfant ne sera pas normal !

Ils le disent tous ici, même le gynécologue de la ville d'Angoulême. Je préférerais qu'ils me remontent le moral et regrette le patron de l'hôpital Bichat, plus compréhensif.

Mais je refuse l'angoisse, je repousse le doute. Avec l'enfant nous leur donnerons tort à tous !

Six mois sans mettre le pied par terre, c'est une leçon d'humilité. Je lis, je brode, je fais des tapisseries.

Christophe fait allègrement ses bêtises de petit garçon et réveille la maison de ses éclats de rire mais aussi de ses crises d'asthme. Il comprend mal pourquoi sa maman est alitée comme une malade pour attendre un bébé. Pour lui j'invente une histoire et je lui raconte :

« Tu sais cet enfant que je fabrique il est pour toi aussi. C'est un petit frère ou une petite sœur pour jouer et rire à deux.

« Tu aimes construire des châteaux de sable. Il y a les châteaux de sable de la mer et les châteaux de sable de la vie. Il y a des châteaux faciles à construire parce que le sable est mouillé, d'autres difficiles car le sable est sec. Il faut faire des efforts pour les faire tenir. Ils sont fragiles, il faut du temps et de la patience pour les admirer enfin.

« Dans le ventre de maman il y a un bébé difficile à construire. Mais il deviendra beau et nous serons fiers de lui.

« Les feuilles des arbres ont changé de couleur. En Charente c'est la saison des vendanges. De ma chambre, j'entends les chants des vendangeurs. Demain, ce sera ma vendange à moi et je te cueillerai mon amour, comme le plus beau fruit de ma vigne. »

Une nuit de novembre, mon cœur bat la chamade. Je me réveille en sursaut, l'air me manque... Ma main se glisse sous le drap pour vérifier ce dont je me doute. Un filet de sang coule bien entre mes jambes. Je me sens mal. Mon mari s'est levé. Le sang coule plus fort. Nous savons qu'il faut trouver une clinique au plus vite.

La voiture roule dans le silence de la nuit. Mon mari se tait, mais partage ma souffrance et mon angoisse. Les vingt-cinq kilomètres qui nous séparent d'Angoulême défilent dans un silence profond. Dans ma tête, j'implore Dieu, la Vierge. J'essaie de faire intervenir l'Assemblée des saints. Je crois que j'aurais vendu mon âme au Diable de la même manière, pour ne pas vivre ces instants-là. La première clinique où nous nous arrêtons ne peut nous recevoir car il n'y a pas de médecin de garde spécialisé. Nous faisons une deuxième tentative dans une clinique d'accouchement. Il est minuit. Une infirmière me prend en charge et un médecin lui succède. Je perds beaucoup de sang, je ne sais plus où j'en suis. Le médecin s'énerve :

— Nous devons vous descendre en salle d'opération pour un avortement thérapeutique. Vous ne pouvez rester comme cela. Le fœtus a dû souffrir . Je regarde le médecin, m'obstine, insiste, supplie :

— Non! Vous ne me descendrez pas. Laissez-moi encore une petite chance! Peut-être que cette hémorragie va s'arrêter! Je suis enceinte de six mois. C'est trop pour me voler mon enfant!

Je pleure. C'était si beau, si doux, cette construction miraculeuse. Si nous devons nous séparer, l'enfant et moi, il faudra que la nature en décide seule, sans intervention extérieure. Lui si vivant, qui bouge, je ne permettrai pas qu'on lui fasse du mal. Je demande grâce jusqu'au matin. Le médecin s'attendrit, réfléchit :

— Si dans deux heures, vous saignez encore, je serai obligé d'intervenir. En attendant nous allons vous perfuser.

Mon mari m'a laissée faire. Il est là, conscient de la gravité du choix. Ensemble, nous écoutons les minutes s'égrener. Au matin, comme la chèvre de M. Seguin, je ne serai pas mangée par le loup.

Le flux s'est tari, la tension a remonté. Le médecin est passé, bougon :

– Si ce bougre d'enfant est normal, il aura de la chance.

L'épreuve m'a laissée sans force.

L'alerte passée, je repars dans la maison familiale, retrouve ma chambre. Avec, dans mon esprit, pour la première fois, un doute affreux : si cet enfant est malformé, sera-ce de ma faute ? Ai-je le droit de lui imposer une fausse vie, une vie tronquée ?

La césarienne a été programmée pour la fin de décembre. Christophe souffre toujours de son asthme. Il va partir avec un de ses cousins en home d'enfants à Font-Romeu pour bénéficier d'un climat plus vigoureux en attendant la naissance.

Mon mari et ma belle-mère vont les accompagner. Le matin du départ je me lève pour la première fois. J'ai le cœur serré. La petite frimousse blonde de Christophe va me manquer. Je regarde la voiture s'éloigner...

La position verticale a déclenché l'accouchement. Je perds les eaux.

Madeleine et mon jeune beau-frère vont m'accompagner à la clinique. Le chirurgien prévenu est là. La sage-femme me dorlote. On m'endort.

Je me réveille dans une belle chambre qui domine la Charente. L'anesthésiste est au pied de mon lit et Madeleine, rayonnante, tient le bébé dans ses bras.

– Madeleine, est-il normal ?

Le chirurgien survient et m'annonce que mon fils est un beau bébé de 2,600 kilos.

Nous sommes le 15 décembre 1968.

Je n'en crois pas mes yeux. Il faut que je le touche. Je demande qu'on le mette sur mon ventre afin que je puisse le contempler, le caresser. J'interroge pour savoir s'il a été bien examiné. On me rassure.

Il est brun. Il ressemble à son père. J'enlace son petit corps tiède, je lui donne ma chaleur. Je suis fière et heureuse.

L'anesthésiste est resté. Il a l'air heureux et gêné à la fois : « Vous savez, tout s'est bien passé, mais on a dû vous faire une ligature des trompes. Une famille de deux enfants, c'est très bien. J'ai moi-même deux filles et je trouve que cela suffit. »

J'ai envie de lui dire que ses problèmes personnels ne m'intéressent pas. Pour le reste, je ne réagis pas, je suis trop secouée. Sa famille, je m'en fiche ; ce qui compte, c'est la mienne.

Alors, c'est bien vrai. On l'a donc réussi, ce chef-d'œuvre, envers et contre tous. Je suis fatiguée, je m'aperçois que je suis sous transfusion. Je vais me reposer et rêver enfin d'avenir. Mon mari a appris la naissance en arrivant à Font-Romeu et fonce sur la route du retour. Il sera bientôt là. La vie est belle.

Un jour, deux jours, trois jours de joie, d'émerveillement, de plénitude.

Comme la louve méfiante, je surveille mon trésor. Nous avons appelé notre fils Fabrice. Fabrice Del Dongo, un bien joli nom qui m'avait envoûtée quand j'étais écolière et que je lisais *La Chartreuse de Parme*. Ce garçon, naïf, gentil, qui se sortait habilement de toutes les situations, m'avait plu.

Cinq jours, ce n'est déjà plus l'euphorie. Rien de plus perspicace que le regard de la mère. La menace pèse déjà. Mon petit boit mal, il est lent. Le doute commence, malgré les paroles rassurantes du médecin.

Sixième jour, Fabrice ne fait plus d'efforts pour boire. Je dois le secouer. Je m'inquiète. Il me semble que ses yeux tourbillonnent. Sur ma prière, le pédiatre accepte de faire venir un chef de service de l'hôpital de Girac.

Septième jour, mon petit est sur moi, attendrissant. Le spécialiste de l'hôpital est là. Il m'interroge longuement. Il prend mon fils délicatement dans ses bras et l'examine devant moi, attentivement, méticuleusement.

Tous les deux nous nous regardons. La tension est extrême. Son regard me transperce enfin. Il sait que je sais. Avec une infinie douceur il remet Fabrice sur mon ventre et il me serre la main avec force. Enfin il parle :

– Je crains une hémorragie méningée. Je vais l'emmener tout de suite à l'hôpital. On ne peut pas attendre. Je reviendrai vous voir.

Huitième jour ; je suis seule, mon bébé n'est plus là. Christophe est à Font-Romeu. Mon mari tristement est reparti travailler à Saumur. Le berceau est vide.

Je me sens seule au monde, déchirée, découragée, submergée d'angoisse, au bord du désespoir. Et coupable. Cette culpabilité qui m'envahit, qui me taraude, et qui me donnera, plus tard, ce courage apparent derrière lequel je cacherai ma douleur. Je suis responsable de ce qui arrive ; j'ai peut-être perdu la bataille.

Les soins que mon état nécessite ne me permettent pas encore de me lever. Dans ma tête, tout se bouscule et bascule. Je ne crois plus en Dieu : il nous abandonne trop facilement. Malgré tout, pour Fabrice, je prie. Je n'ai rien d'autre à faire. Il faut qu'il guérisse, mais j'ai peur que son cerveau n'en sorte indemne. Je connais les séquelles d'une telle aventure au début de la vie, j'ai été infirmière, et j'ai peur.

J'imagine mon fils à l'hôpital. J'ai déjà vu ceux des autres mais pas le mien. Le souvenir que j'en garde me fait mal.

Enfin, je peux sortir de la clinique, et aller à l'hôpital. Noël est passé sans que je m'en aperçoive. Ce n'est pas la naissance glorieuse dont j'avais rêvé. Ce n'est pas celle du divin Messie. Que vais-je voir ? Où est-il ? Le médecin m'accompagne, me soutient. Fabrice est isolé derrière une vitre. Perfusé, meurtri. Meurtrie moi aussi, avec lui. Je l'aime encore plus. On m'offre déjà un fils abîmé, sacrifié. Il a fait une hémorragie méningée. Actuellement, il est atteint d'une staphylococcie pulmonaire et digestive, ses jours sont en danger.

Je préviens mes oncles, prêtres à Angoulême. Eux seuls auront le droit d'entrer dans la chambre pour le baptiser. Derrière la vitre, je lui transmets ma rage de vivre. Je prie pour sa vie, pour sa survie, pour sa résurrection. Je sais déjà que ces hommes en blanc l'ont condamné.

Et le miracle se produit : le petit souffle de la vie se maintient. Les jours passent. Mon mari nous rejoint en Charente pendant les week-ends. Perfusions, médicaments... Déjà, sur ma marionnette, les fils de la médecine... Nous nous y accrocherons. Le médecin de l'hôpital finit par nous convoquer :

– Vous savez, cet enfant ne vivra pas. Vous ne pouvez l'élever. Il faudrait l'admettre dans une pouponnière sanitaire.

Impossible ! Je n'ai pas parcouru tout ce long chemin pour confier mon fils à des étrangers. Je l'ai regardé. « Mon fils va vivre, me suis-je dit dans ma tête, il va vivre, il veut vivre ! La bataille va commencer. » Je l'ai serré sur mon cœur et personne n'aurait pu l'arracher à mes bras.

Les difficultés commencent. Le médecin nous explique qu'il faudra une véritable chaîne de solidarité médicale pour répondre aux attaques imprévisibles de la maladie, orchestrée par un médecin responsable. Un grand chef manipulateur des fils.

Mon mari et moi sommes partis ensemble à Saumur,

sans Fabrice. Nous ne connaissions personne. J'ai pris l'annuaire et j'ai appelé, au hasard, des noms à la rubrique « pédiatrie ». Je racontais mon histoire. Un pédiatre a finalement accepté de prendre le relais de l'hôpital Girac avec un confrère généraliste. Ils ne nous connaissaient pas, nous ne les connaissions pas. Leur dévouement fut sans limite.

La maladie de Fabrice n'avait pas encore de nom. Nous sommes repartis pour Angoulême chercher notre fils. On nous a laissés le prendre. Apparemment, il ressemblait aux autres. Mais quel mystère se cachait derrière ses yeux noirs ?

Nous allions, ensemble, devoir beaucoup nous battre. Encore et encore.

Ce soir, pourtant, en relisant ces lignes, je me demande si je ne me suis pas trop battue. Mais non. Pour l'amour de toi, Fabrice, je ne me suis jamais trop battue. Jamais trop, Fabrice, jamais trop.

II

Saumur, 1968 – 1973

Saumur est une belle ville, plantée au bas d'un coteau. La Loire la traverse. Elle coule sereinement. L'eau a une résonance mystérieuse à mon âme. La rue Marmaillette, au nom prédestiné, ne peut que sourire à mes enfants. La maison est sympathique. Le jardin, avec ses deux gros cerisiers, sent le printemps et les fleurs. Nous prévoyons tout de suite d'y installer un bac à sable pour que nos garçons puissent s'y amuser.

Christophe, revenu de Font-Romeu après trois mois de cure, pédale sur son vélo neuf. Mon mari, dans sa nouvelle profession, a des journées de travail longues et épuisantes. Il s'en veut de ne pouvoir être davantage présent à la maison. Nous rêvons encore. Comme les enfants dans les contes de fées, nous ne croyons pas que l'ogre va dévorer le Petit Poucet. Nous voulons croire que Fabrice est normal. Le rêve est-il interdit ?

Le rêve ne va pas durer longtemps. Et l'angoisse et la souffrance ne nous laisseront pas de répit. Fabrice n'a que quelques mois que déjà son martyre commence : asthme, œdème de Quincke, otites purulentes, infections urinaires, pulmonaires... Le tourbillon de toutes les maladies d'enfant s'abat sur lui. Plus le pire : les mycoses, eczéma, plaies spontanées... qui vont continuellement ronger sa peau.

Fabrice, malgré sa fragilité, est un bébé à l'œil vif.

Yeux noirs, parfois tristes mais joyeux aussi. Les médecins qui l'approchent sont surtout inquiets de son développement mental. Une hémorragie méningée peut laisser des traces. Le pédiatre de l'hôpital Girac nous a prévenus des risques de séquelles. La petite lumière que promène le médecin régulièrement devant ses yeux pour surveiller ses réflexes cesse bientôt de nous alarmer. Son éveil paraît normal. Il ne sera pas arriéré mental. Fabrice sourit, pleure, a un poids normal, comme les autres nourrissons.

Christophe fait connaissance avec son petit frère, qui, déjà, n'est pas tout à fait comme les autres. Il s'étonne à son sujet : « Pourquoi le médecin vient-il si souvent ? » Les soins multiples que nécessite l'état de Fabrice sont une lourde contrainte. J'ai peur que notre famille ne sombre dans le pessimisme et le morbide. Je dois en protéger Christophe.

Je décide de retrouver du travail pour moi aussi me préserver. Une occupation extérieure me permettra d'oublier un temps la maladie et de résister à la souffrance. Je veux rester une femme heureuse, enthousiaste pour mes fils et mon mari ; profiter de la vie. Transmettre la gaîté. Si je commence à verser des larmes, à laisser mes angoisses sur l'avenir me submerger, nous sommes perdus. Et toi aussi, mon fils.

Je commence à réaliser qu'il va falloir aimer la vie sans trop se regarder dans un miroir, et sans comparer nos instants de bonheur avec ceux des autres. Mon horizon bouché doit bien avoir une faille, mon découragement une porte de sortie !

J'entrevois le bout du tunnel quand on me propose un poste d'assistante sociale à mi-temps, dans un institut médico-pédagogique. Cette proposition est une aubaine, car je serai libre pendant les vacances scolaires, et pourrai m'occuper de mes enfants.

« Le Coteau », à Saint-Hilaire-Saint-Florent, belle

demeure du xviiie, domine la Loire. Elle accueille des adolescentes débiles légères. Les installations sont fonctionnelles et confortables. Je vais m'y plaire d'emblée.

Mon poste consistera à organiser la surveillance médicale des jeunes, à rencontrer les parents, à trouver des familles d'accueil, à surveiller les nourrices. Avec la directrice, Mlle F., notre complicité sera sans faille jusqu'à mon départ. Les trajets, sur la route qui suit la Loire, sont un plaisir.

Il me faut alors trouver quelqu'un qui puisse me remplacer partiellement auprès de Fabrice. Ma deuxième chance s'appelle Sylvie.

Sylvie qui restera pendant cinq ans auprès de nous. Agée de dix-huit ans, aînée d'une famille nombreuse, Sylvie a connu la vie rude de la campagne avec la responsabilité de ses frères et sœurs. Son mari, commis boulanger, travaille la nuit et dort le jour. Sylvie s'ennuie chez elle et cherche à s'occuper d'un enfant.

Personnage haut en couleur, elle a l'œil vif, l'accent du terroir et le verbe net. Elle est drôle, vive, efficace, rayonnante. Elle a adopté Fabrice et nous l'adoptons pareillement. Quelquefois, le samedi, elle vient le chercher pour le promener. Didier, son mari, prend délicatement mon fils et le monte sur ses épaules. Grâce à eux, nous avons passé de bons moments à Saumur.

Sylvie rit, Sylvie chante, Sylvie s'occupe de Fabrice et le soigne aussi bien que moi. C'est une maniaque de la propreté et du travail bien fait. Sa présence va me libérer l'esprit et me permettre de vivre un peu comme les autres femmes. L'ouverture sur les autres, avoir des amis, rencontrer des enfants en bonne santé me paraissent indispensables pour rétablir l'équilibre et contribuer à notre sauvegarde.

Le hasard fait parfois bien les choses. Un soir, dans une rue de cette ville où nous ne connaissons encore personne, mon mari croise un camarade de pension. Ils ne s'étaient pas vus depuis vingt ans. Grâce à lui, nous rencontrons une famille avec laquelle nous allons devenir les meilleurs amis du monde. Elle, Sabine, est aussi dynamique qu'originale. C'est une spécialiste du patchworck et ensemble nous allons faire des créations. Elle cherche quelqu'un pour animer le club d'enfants et l'atelier de terre et de peinture qu'elle veut ouvrir dans son grenier. Son mari et le mien vont partager la même passion pour le tennis. Nos enfants (elle a deux filles et un garçon de l'âge de Fabrice) joueront ensemble.

Cette période de notre vie, malgré la maladie de Fabrice, est pleine de souvenirs inoubliables. Nous sommes encore à l'écart de la médicalisation à outrance. Chacun mène sa vie en essayant de l'enrichir selon ses goûts. Avec Sabine, nous ouvrons l'atelier de travaux manuels. Les enfants viennent travailler la terre, fabriquer des marionnettes. A l'époque des confitures, on cueille des fruits et les après-midi s'écoulent dans la bonne senteur des mélanges qui bouillonnent. Nous organisons des goûters déguisés. Le week-end, nous faisons des pique-niques dans le grand jardin. Nous organisons des fêtes avec des fleurs en papier géantes. Ce jardin est ouvert à ceux qui s'y sentent bien. Hugues, le fils de Sabine, et Fabrice jouent ensemble et rient. Fabrice n'est pas encore une marionnette manipulée par la médecine. C'est encore nous qui décidons de notre destin.

Car à son chevet, la collection des spécialistes s'agrandit : l'érythème fessier ne cède pas au traitement, les troubles digestifs sont fréquents. Les otites succèdent aux otites, les médecins parlent d'entérite alimentaire. A un an, il est hospitalisé.

Christophe tousse depuis plusieurs jours et on le soigne pour une bronchite asthmatiforme. Fabrice se met à tousser lui aussi et je crois reconnaître « le chant du coq » de la coqueluche. Chez Fabrice, le mal prend des proportions alarmantes. Il s'asphyxie et il est transporté d'urgence dans une clinique à Angers. Pour la première fois, je monte avec lui dans l'ambulance sirène hurlante. Fabrice est admis en « médecine enfant ». Le médecin-chef arrive, ouvre la lettre du médecin traitant, la lit et me la donne :

– Aux dires de la mère, l'enfant ferait des quintes asphyxiantes... Je pense à une bronchite allergique.

Il examine mon fils. J'entends un juron...

– Quel est le c... qui m'envoie une coqueluche ? Qu'on isole l'enfant immédiatement !

Petite revanche qui me met du baume au cœur. Les médecins, eux aussi, peuvent se tromper. Mon intuition maternelle était la bonne !

Fabrice revient à la maison au bout d'un mois. Il commence à parler et nous en ressentons un immense soulagement : l'hémorragie méningée, lors de sa naissance, n'a pas laissé de traces !

Mais les infections se succèdent. Fabrice traîne une toux qui est, cette fois, bien d'origine allergique. Les interventions de l'oto-rhino-laryngologiste pour des paracentèses sont fréquentes. Fabrice est plusieurs fois hospitalisé à Angers, puis à Saumur. Malgré cela, il nous saute dans les bras avec un amour débordant.

Un soir de janvier 1972 – Fabrice a célébré quelques jours auparavant son troisième anniversaire – nous dînons. Après quelques bouchées normalement ingurgitées, Fabrice met brutalement les mains à sa bouche. Comme un forcené, il frotte ses lèvres. Il ne s'est pourtant pas brûlé !

En écartant ses mains de son visage, je découvre des lèvres œdémateuses, énormes, enflées. La langue déborde et a doublé de volume. Il plonge dans mes yeux un regard bouleversant d'inquiétude et de panique; regard atroce, car il ne peut déjà plus parler. C'est son premier œdème de Quincke.

Immédiatement, Fabrice est transporté à l'hôpital et placé sous perfusion et sous surveillance respiratoire.

Cet œdème de Quincke, qui se manifestera chez lui jusqu'à la fin de ses jours, sera pour nous une inquiétude lancinante, car nous savons qu'une crise peut être mortelle. Certains aliments peuvent être pour lui des poisons. Mais même la surveillance draconienne de son alimentation va s'avérer délicate car certains produits incriminés vont devenir, avec le temps, inoffensifs, alors que d'autres, neutres au départ, vont se révéler toxiques. Sélection lente et difficile. Fabrice devient, lui, un peu plus vulnérable, un peu plus malheureux. A partir de cette première alerte, les manifestations d'allergie vont se multiplier.

Sylvie partage avec moi, au quotidien, le poids de la maladie de Fabrice. Mon mari, de son côté, s'est inscrit à un cours de promotion interne qu'il doit suivre en plus de son travail. Gestion de carrière et vie familiale ne font pas forcément bon ménage. Son emploi du temps est surchargé. Souvent, le week-end, il prépare ses examens. Ce travail acharné, c'est aussi un moyen d'échapper à l'obsession de la maladie, tout en espérant améliorer notre vie familiale. Pour se faire une place dans son nouveau métier, où la concurrence est sévère, il faut se battre.

Moi je me bats, non sans amertume, avec les problèmes domestiques, et j'ai l'impression d'être seule. Mais pour lui, et pour nous, il est important qu'il réussisse.

Christophe mène sa vie d'enfant asthmatique au souffle court. Intelligent, organisé déjà. A sept ans, il nous étonne car il organise son monde à son rythme et à ses compétences. Quand il ne va pas bien, il s'installe dans sa chambre avec une pile de livres sur son lit, ses billes, ses soldats de plomb et le vieux tourne-diques Tépaz à portée de sa main. Il peut rester seul des après-midi entières en passant d'un jeu à l'autre.

Fabrice apprend à jouer avec lui. Ils font des parties de guerre avec soldats et billes qui n'en finissent pas. Christophe associe Fabrice à ses jeux et lui communique son goût de la musique. Je ne me rappelle pas les avoir vus se chamailler vraiment ou se battre, comme les frères en ont souvent l'habitude. Une complicité secrète, une alliance subtile entre eux se forge. Ils sont tous les deux « limités » quelque part dans leur corps et cette différence les rend solidaires. Christophe sent que son frère a besoin de sa protection. Entre eux, pas besoin de mots pour se comprendre. Quand ils sont ensemble, dans le jardin, je me repose et fais confiance à Christophe pour me prévenir si un incident survient...

Une question me taraude : comment cela a-t-il pu arriver ? Qu'est-ce qui a déclenché cette guerre qui va durer vingt ans ? Pourquoi cette condamnation biologique ?

Mon mari était grand, beau, athlétique ; lui et moi n'avions jamais été malades. Nous étions des battants. Nous avions de l'enthousiasme, le goût de l'aventure. Notre tempérament actif nous rendra difficile à tous les deux l'épreuve de la « différence ». Pour mon mari, pour le père, la blessure narcissique a dû être grande de mettre au monde des garçons qui ne lui renvoient pas son image et qui ne peuvent pas le suivre. Il en a beaucoup souffert. Accepter la « différence ».

La mère, elle, l'accepte plus facilement. L'amour maternel, comme une vague déferlante sur un rivage, avale et noie les obstacles. Rien ne lui résiste.

L'enfant malade vous oblige à donner plus, mais en retour il vous renvoie plus d'amour. Le tourment de cet amour vous prive de liberté, vous entrave, mais la récompense existe, même dans la douleur.

Rire rare de Fabrice. Rire à éclipses, rire récompense. Nos regards se croisent, ses yeux pleins de larmes lisent l'inquiétude dans les miens. Les efforts accumulés des médecins de Saumur n'aboutissent pas au résultat espéré. Leur ignorance du mal va les pousser à envoyer, en mai 1972, Fabrice consulter à Paris. La maladie de mon fils les dépasse.

Comme une novice qui met tous ses espoirs en Dieu, j'attends un miracle. Je crois encore que dans la capitale, les médecins sont plus savants qu'ailleurs. J'ai foi en eux. Cet examen approfondi de mon fils par des hommes d'une science supérieure me donne un regain d'espérance et de force. A cette occasion, je réalise combien la situation est anormale. Il faut tout mettre en œuvre pour sauver Fabrice, mais ce choix m'oblige à abandonner régulièrement mon mari et Christophe. Je les laisse à leur crainte, à leur angoisse, à l'incertitude. Cet enfant me prend le cœur, en prend trop, et la part des autres en est rognée. Je sais que je vais rendre jaloux inconsciemment son frère, et son père. Je vole une part de leurs droits. Quand je pars avec Fabrice je ne m'occupe plus d'eux. Mais qui puis-je? Il m'a fallu choisir. Et Fabrice était celui qui avait le plus besoin de moi.

Je me sens tout à coup perdue devant l'ampleur de la tâche. Je suis une petite fille qui aurait besoin d'être consolée, alors qu'on lui demande de se redresser. Tiens-toi droite! Ne te plains pas! Sois forte! Souris! Il faut cacher ses larmes.

Je prépare le départ. L'hospitalisation est prévue pour une quinzaine de jours. Elle va durer trois semaines, dans les services du professeur M., à l'hôpital des Enfants-Malades.

Cette première visite au temple du savoir n'engendre pas de réelles paniques. On découvre des anomalies dans le système immunitaire de Fabrice. En fait, nous l'avons su après, c'est un cas médical non répertorié et les connaissances de l'époque n'éclaireront pas vraiment le diagnostic.

Vite, vite nous repartons à Saumur, trop contents d'abandonner ce monde déprimant des hôpitaux. Le mot « Déficit Immunitaire » est inscrit dans mon cerveau. Mais de façon floue. Pourtant, j'en pressens la gravité.

Nous revenons avec un traitement lourd, anti-infectieux d'une part, antimycosique de l'autre. Il va falloir lui injecter des gammaglobulines, produit substitutif de défense. Les piqûres sont douloureuses, car la dose est forte. Un cauchemar de plus dans la vie de Fabrice. Médicaments, fioles et pommades envahissent la salle de bains...

Mais nous sommes chez nous, à l'abri, protégés par nos murs. Vite, vite, nous tentons de réinventer le bonheur. Nous invitons les amis dont le cercle s'est agrandi, nous regardons le soleil caresser les feuilles des arbres et jouissons du jardin... Il faut s'encourager, s'épauler, espérer. Tout faire pour chasser la déprime.

Sylvie est toujours gaie, même si elle se désole de ne pas être enceinte. Moi, égoïstement, je me réjouis de la voir déverser sur Fabrice ce trop-plein d'amour qu'elle aurait donné à ses propres enfants.

La synthèse des examens approfondis que Fabrice a subis nous est parvenue. Il est atteint d'une maladie pratiquement mortelle : un Déficit Immunitaire Congénital sévère, associé à de multiples manifestations allergiques : S.I.D.H bien proche des manifestations du S.I.D.A. La maladie affecte la cellule sanguine, le globule blanc – le lymphocyte – et ses composants.

L'univers, l'espace autour de nous, l'air que nous respirons sont chargés de microbes. Notre organisme possède en lui-même des moyens de défense. Mais ces défenses naturelles peuvent présenter des brèches, ce qui explique les variations de résistance d'un individu à l'autre. Les globules blancs – ou lymphocytes – ont pour fonction de fabriquer des anticorps chargés de la lutte contre l'infection. Chez Fabrice, ces cellules de défense ne fonctionnent pas, ou très peu. Les virus, les microbes ne sont pas, dans son organisme, tenus en échec par le rempart des immunoglobulines, ces « avaleurs de microbes ». Ce déficit immunitaire est dû à une défaillance génétique.

La médecine n'a exploré qu'une infime partie de ce territoire. Elle connaît la maladie mais ne sait pas la guérir. Cette anomalie est rare et exceptionnelle, et la survie du malade est limitée. Nous commençons à comprendre pourquoi ce système immunitaire déréglé engendre toutes sortes de maux.

La peau, les muqueuses elles-mêmes sont incapables de faire barrière aux invasions microbiennes. En contact avec des substances normalement inoffensives pour les autres, elles réagissent par des réactions gravissimes.

Faut-il laisser vivre quand on ne sait pas guérir ?

Il va falloir se battre pour la vie dans une lutte inégale, puisqu'il n'y a pas de remède. Attaquer chaque danger, au coup par coup, en sachant que chaque jour sera un nouveau combat.

A l'époque, nous pensions que les progrès de la recherche médicale aboutiraient à une découverte qui pourrait sauver la vie de Fabrice. La vie de notre fils ! L'enjeu valait bien que nous nous mobilisions pour tenir tête à la mort !

III

Courbevoie, janvier 1973 – juillet 1974

Mon mari a réussi le concours interne de sa société. On lui confie un poste à Paris.

Les différents médecins de Saumur qui soignent Fabrice pensent qu'il sera mieux suivi dans la capitale. Nous allons les regretter, car nous avions tissé des relations amicales et chaleureuses.

Je vais devoir quitter mon travail. C'est une épreuve, car voilà quatre ans que je participe à la vie de l'Institut pédagogique. Je me suis fait des amis.

Sylvie nous voit partir avec regret et je ne sais comment la remercier de m'avoir épaulée avec tant d'efficacité. Je me suis attachée à elle, et Fabrice aussi.

Christophe, lui, prend les choses du bon côté. Il respirera peut-être un peu mieux ailleurs, dans la capitale.

Adieu les bords de la Loire, et la douceur angevine.

Adieu les amis, remède à la déprime.

Mon mari a trouvé un appartement sur les hauteurs de Courbevoie. Du sixième étage, nous découvrons un horizon qui s'étend du Sacré-Cœur à Notre-Dame; de l'autre côté, le quartier de la Défense et ses gratte-ciel.

Le soir, quand les lumières s'allument, on se croirait devant un décor de théâtre.

Nous sommes en janvier 1973.

Fabrice a cinq ans.

A quelques pas de l'immeuble, se trouve une petite

école privée. J'y inscris les garçons. Fabrice y fera de brèves apparitions.

Au départ, la directrice est frappée par son aspect. Son visage est pâle et marqué de stigmates aux paupières et au cou. Ses oreilles fissurées coulent. Les lèvres œdémateuses et fendues surprennent. Il tourne difficilement la tête.

Peu de temps se passe avant que je ne sois convoquée à l'école. L'institutrice hésite à envoyer Fabrice en récréation. Son apparence attire les railleries et elle a peur qu'on lui fasse mal. Elle m'avertit que Christophe ne quitte pas son frère une minute quand ils sont dans la cour. Il lui sert de bouclier.

Le problème se résout de lui-même car l'état de Fabrice empire; il ne peut plus aller en classe.

Les plaies s'étendent et il hurle pendant les soins. Le médecin m'oblige à prendre une infirmière le matin et lâchement, quand elle arrive, je descends l'escalier pour ne plus l'entendre pleurer. Il me faut récupérer des forces pour le restant de la journée, dans l'attente des soins du soir.

Journées interminables!

J'achète à Fabrice un tracteur en plastique pour le promener car il ne peut plus ni pédaler ni marcher. Je me revois descendre dans l'ascenseur en le tenant dans mes bras. Il est lourd. En bas, je l'installe sur le tracteur et je tire la ficelle...

Trajet chaque jour identique : le passage devant le cinéma désaffecté aux affiches jaunies. En face l'usine Banania aux odeurs de chocolat qui picotent les narines. Plus loin notre amie, la marchande de jouets où l'on fait halte devant la vitrine.

Elle-même souffre d'eczéma et a remarqué Fabrice. Elle compatit, elle sait de quoi elle parle. On bavarde mais il ne faut pas rester trop longtemps sinon les mains de

Fabrice quittent le volant et cherchent désespérément
l'endroit qui démange le plus. Nous passons devant la
salle de sport et atteignons enfin le grand square Saint-
Denis qui domine la Seine. Là, la merveilleuse petite
dame du manège du square installe Fabrice sur ses che-
vaux de bois. Le boîte à musique fait naître un sourire sur
les lèvres crevassées. Soulevé de terre il rêve un peu à un
monde meilleur, à un monde imaginaire.

Il oublie, c'est mon souhait, l'horreur tragique de sa
vie. La petite dame fait tourner son manège, les tickets
n'ont pas d'importance, elle veut qu'il s'amuse. Une
complicité s'installe, le temps cruel s'efface. Ici, la vie est
douce. Il tourne, il s'arrête, il descend, il remonte.

Demain nous reviendrons...

Ma solitude m'accable.

En mai 1973, une infection importante se déclare et
il faut transporter Fabrice aux Enfants-Malades, dans le
service du professeur V.

C'est une petite rémission pour moi qui ne supporte
plus de le voir souffrir. Je passe mes journées à ses côtés
mais ce n'est plus moi qui lui fais mal en le soignant.
J'essaie de trouver des occupations qui puissent distraire
aussi ses camarades de jeux, petits malades parfois seuls.

Le mange-disques, nouveau à l'époque, les enchante.
Nous essayons de chanter le plus possible.

Malheureusement la varicelle se déclare. Sans immu-
nité. Il l'aura trois fois, trois fois les oreillons... Il est isolé
dans une chambre. Sur sa porte un panneau en interdit
l'accès sauf au personnel médical et aux parents. Sur lui,
la maladie est abominable : il est méconnaissable. Se sen-
tant prisonnier, ne bénéficiant plus du contact avec les
autres enfants, il se recroqueville. Je le retrouve accroupi
par terre, se balançant d'avant en arrière, horriblement
malheureux, son regard fixé sur la porte où il attend que
nous apparaissions.

Il restera un mois dans le service. Enfin, la liberté retrouvée, nous fêterons dans la joie son retour à la maison. Délivrance pour lui, ce retour. Délivrance éphémère. Rien ne dure.

Les plaies s'étendent et s'infectent à nouveau. Les consultations aux Enfants-Malades recommencent de plus belle! Elles sont dramatiques!

D'abord vous êtes convoqués systématiquement à neuf heures du matin. Il faut arriver avant l'heure pour faire l'inscription, sachant pertinemment que l'on peut être appelé à midi.

Avec un enfant aussi affaibli que Fabrice, c'est une épreuve de force si l'on considère qu'avant le temps du trajet il faut prévoir l'heure des soins. Quand nous prenons l'ambulance, le chauffeur ne veut pas nous attendre pour le retour. Il connaît les pratiques horaires des consultations et ne veut pas perdre sa matinée. Il faut lui téléphoner de venir nous chercher une fois l'examen terminé. Et c'est une nouvelle fois l'attente sage et disciplinée.

Dans ce monde du silence, vous n'avez plus votre identité, vous êtes un numéro. Votre raison sociale n'existe plus. Travailleur mère, père, vous êtes à la merci du grand Patron.

Attentes à la consultation, attentes à la radio, attentes aux examens, attentes de l'ambulance... égarés dans un monde qui n'est pas fait pour nous, il faut tout supporter, et sans geindre.

Fabrice a mal partout. On dirait un brûlé. Le professeur qui nous reçoit à l'époque ne sait que faire. Il nous voit arriver avec appréhension parce qu'il n'a rien à nous proposer comme remède. Notre présence l'irrite.

Ce mandarin sévère est dépassé par le cas de Fabrice et ne veut pas le reconnaître. Son accueil est froid et hautain. Nous sommes encombrants.

Rapidement, il décide de nous orienter vers l'hôpital du Kremlin-Bicêtre pour une étude immunitaire et des fonctions polynucléaires.

Je sus plus tard qu'il m'avait introduite auprès d'un de ses confrères en insinuant « qu'il soupçonnait ma bonne volonté à appliquer le traitement »... L'état pitoyable de Fabrice pouvait le laisser croire. Cette suspicion me parut intolérable et je ne lui ai jamais pardonné. Je sais que l'impuissance thérapeutique déclenche parfois des réactions négatives, ce n'est pas une raison pour accuser sans preuves. J'ai alors compris le pourquoi de l'accueil soupçonneux et distant de la première consultation qui a suivi.

A cette époque, je passais au minimum deux heures par jour à appliquer le traitement local. Chaque recommandation s'inscrivait dans mon cerveau qui n'était plus bon qu'à cela.

J'avais ma formation d'infirmière qui me rendait les gestes familiers, j'avais fait un apprentissage. Je croyais à la valeur de mon diplôme. En plus de tout cela, j'avais un amour immense pour mon fils, mais finalement je n'étais rien !

En allergologie une désensibilisation est entreprise avec beaucoup de circonspection. Une première tentative a déjà été faite à Saumur, interrompue par des réactions syndromiques d'aggravation. Cette spécialité à elle seule nous contraint à des rendez-vous ponctuels deux fois par semaine. La jeune femme médecin qui nous reçoit a beaucoup de finesse. En général, les femmes médecins sont plus abordables. Entre femmes, on se comprend parfois mieux. Celles qui sont mères de surcroît sont à même de compatir à notre désarroi.

Cet essai thérapeutique sera finalement abandonné car Fabrice n'a pas de réactions normales à ces tentatives.

La phobie des piqûres s'installe de plus en plus en lui et le traumatise.

Ma petite marionnette est prise en charge mais elle ne m'appartient plus tout à fait. Je ne sais à qui confier ma détresse, pour m'aider à porter ce fardeau si lourd pour moi. Mon mari m'aide comme il peut. Mais son travail l'éloigne de la maison. Je me sens seule, désespérément seule, comme ce jour où la tempête éclate.

La rage dévastatrice des mains de Fabrice est à son paroxysme. Impuissante à le calmer, je sors de chez moi décidée à anéantir la crise de démangeaison par n'importe quel moyen. J'installe mon fils sur le siège arrière de ma voiture. Je démarre sans but, espérant trouver une idée géniale qui établira un mur entre son corps et son esprit. Le Jardin d'Acclimatation n'est pas loin. Le temps que j'arrive au bois de Boulogne, il s'est déshabillé complètement. Il se gratte comme un forcené. A un feu tricolore un agent de police me regarde, médusé, catastrophé par le spectacle de l'enfant nu, écorché. Il me propose de l'aide. Je la refuse. Je n'ai plus confiance en personne. Je pleure toute seule. On doit me prendre pour une folle.

Je cherche quelqu'un qui donnera des calmants à Fabrice, pour arrêter l'ouragan, le tourbillon de la douleur.

J'aurais voulu nous jeter dans la Seine mais je n'en ai eu ni le désespoir ni le courage.

Finalement, je suis allée sonner chez une cousine, médecin pédiatre. Son père, agrégé chef de service, s'était renseigné sur la maladie de Fabrice. Il nous plaignait beaucoup...

Je savais qu'elle ne pouvait rien pour moi, mais j'avais besoin de parler, d'avoir un témoin. Elle m'a fait une ordonnance pour des calmants. Je suis retournée chez moi, un peu rassérénée d'avoir été écoutée et comprise.

Le lendemain ressemble à hier. J'ai froid en moi, la

peur s'installe. Je prends la décision d'interroger un de mes amis, dermatologue à l'hôpital Saint-Louis. Il me faut oser faire cette démarche de ma propre initiative. Du fond de mon tourment, je dois gravir tous les obstacles. J'ai voulu Fabrice, mais je ne l'ai pas voulu dans cet état.

Mon ami voit Fabrice et me fait part de son inexpérience devant le grave tableau de cette maladie. Il me propose de le présenter à son patron, qui est une sommité.

C'est ainsi que nous aurons la chance de faire la connaissance du professeur L. Il pratique un examen attentif et me dit qu'il faut hospitaliser Fabrice pour le soulager dans son service de dermatologie à l'hôpital Hérold.

Compréhension, détente; c'est un changement complet d'attitude vis-à-vis de nous.

Il était temps car je n'en pouvais plus.

Chez un malade incurable, il n'y a pas de répit. Pas de jour où la lumière du soleil ne soit obscurcie par la maladie. Dès le réveil la réalité un instant oubliée vous agresse. Comme Fabrice qui entre dans votre chambre, les bras serrés sur son corps, en suppliant :

– Maman fait vite couler le bain, j'ai trop mal!

Les médecins, après leur dure journée de labeur, ont droit à la liberté, peuvent oublier la misère entrevue, et vivre.

A nous, parents d'enfants gravement malades, l'oubli est interdit. Le martyre ne s'arrête jamais. Cet état devrait nous accorder le droit au respect et à la sollicitude.

Nous sommes des parents « différents » mais nous n'avons pas commis de fautes en mettant ces enfants au monde. Simplement nous payons cher leur survie.

A l'hôpital, Fabrice fut exhibé comme un spécimen sur une estrade devant les étudiants. On le photographia sous tous les angles. Ses séances au « flash » nu devant un parterre d'yeux inquisiteurs, il en gardera toute sa vie un souvenir humiliant. C'était de notre faute. Nous avions donné l'autorisation. Nous ne nous rendions pas compte, à cette époque, de l'impact cruel de cette séance, que l'on nous avait dit nécessaire à l'apprentissage de la médecine. De plus, nous voulions remercier l'équipe et son chef de service si attentifs à notre détresse.

Il faut souligner que le profeseur L. témoignait d'un profond respect pour les familles. Il aimait les enfants et ceux-ci lui rendaient bien. A la consultation les petits montaient sur ses genoux et l'appelaient « Tonton ». Pour eux, il était le médecin mais aussi le confident attendri et compatissant.

Fabrice est pris en charge avec compétence et respect. Nous pratiquerons longtemps ce service et regretterons le départ de ce professeur pour la province. A certains moments de panique nous irons le revoir et jamais, il ne nous laissera tomber.

Durant ce premier séjour, afin de procéder à l'interrogatoire médical, on nous demande de venir le matin. Du bas du couloir, je reconnais les hurlements de douleur de mon fils. Le médecin est venu m'accueillir et m'explique qu'il faut absolument nettoyer les plaies en profondeur si l'on veut éviter la septicémie. Il reconnaît que ces séances sont extrêmement douloureuses. Mais il me réconforte et me redonne espoir.

Heureusement! Car j'avais envie de reprendre Fabrice et d'aller nous noyer.

C'est affreux, mais c'est la vérité. Il faut que les médecins sachent. La souffrance physique de son enfant, c'est un boomerang sur le cœur d'une mère. Cette envie d'en finir, je l'ai eue souvent.

Plus tard, Fabrice, dans ses souffrances, souhaitait mourir, le réclamait. Il avait fini par comprendre qu'autour de lui, on doutait de sa guérison.

Devant la maladie, on est courageux, mais on est lâche, aussi.

Je me souviens de la conversation que j'avais eue avec la marchande de jouets de Courbevoie. Elle m'avait raconté qu'elle avait été atteinte d'un eczéma généralisé et hospitalisée pendant six mois à l'hôpital Saint-Louis. Elle m'avait traduit l'horreur de sa condition, son désespoir, ses souffrances insupportables : « Si je n'avais pas eu mon mari pour me soutenir, je me serais suicidée. »

J'aurais pu trouver de la force dans la religion, j'ai essayé de prier; si parfois cela me réconfortait, cela n'empêchait pas Fabrice d'être crucifié.

Bien souvent, j'ai relu *La Peste* d'Albert Camus, où le frère Paneloux disait : « Qu'il y avait des choses qu'on pouvait expliquer au regard de Dieu et d'autres qu'on ne pouvait pas... Il y avait le mal apparemment nécessaire et le mal apparemment inutile. »

La souffrance de l'enfant fait partie de l'inutile. Cette éternité dont on espère la venue justifie-t-elle un instant la douleur humaine ?

Christophe, à quinze ans, m'a dit : « Le calvaire du Christ n'a rien d'exceptionnel; il a souffert trois jours. Fabrice souffre le martyre depuis qu'il est né. » Sa révolte était la mienne. Christophe a quitté l'Eglise ce jour-là.

La peau malade c'est l'atrocité. C'est le corps écorché, le cœur crucifié chaque jour. Cœur crucifié de celui qui supporte et cœur crucifié de celui qui soigne.

La peau c'est la caresse de l'amour. Le toucher, la volupté, le plaisir qui passe par les doigts. La peau c'est le premier contact avec le bébé. Le frottement permis, recherché. La mère y plonge son visage pour y respirer l'odeur indéfinissable de la tendresse et pour s'en enivrer.

Avec son nez, avec sa bouche, avec ses doigts, elle furète dans les plis pour faire connaissance avec son petit. Elle rit et déclenche son rire.

Elle est si douce sa peau. Peau douce, lisse sans une égratignure, la peau du bébé.

La peau de mon bébé était égratignée, fissurée, rouge, sensible. C'est comme si ce cadeau tout neuf était abîmé à l'origine. Il me fallait le réparer, y faire très attention comme à un vase déjà fêlé. Voir cette peau abîmée au départ est déjà une injustice criante face à la vulnérabilité et à l'innocence de l'enfant.

Mon bébé à moi, je n'ai pas eu les yeux des autres pour le regarder. Pour le regard des autres, l'enveloppe était gâtée. L'œil de l'autre, qui laissera filtrer tout au long de la vie de Fabrice des sentiments qu'il faudra assumer, pitié, crainte, peur, répulsion, dégoût, rejet... Et amour, aussi.

La maladie a duré jusqu'au bout, son calvaire et le nôtre aussi. La maladie de peau était ma hantise.

Pendant mes études, j'avais fait un stage en dermatologie qui m'avait douloureusement marquée.

Tous les matins, je devais soigner une jeune fille d'une vingtaine d'années très connue dans le service.

Elle était montrée et photographiée comme un cas spectaculaire. Ses jambes étaient couvertes d'un mal mystérieux, des champignons. Il fallait faire tremper les plaies, les gratter et ensuite panser les jambes. C'était terrifiant. Le plus difficile à supporter, c'était le regard de cette jeune femme de presque mon âge. Pas un sourire, pas un rictus. Stationnaire dans sa maladie, malgré les soins interminables.

Des yeux bleus sans éclat, transparents, qui naviguaient ailleurs; déjà la transparence de l'au-delà. Elle refusait de parler depuis plusieurs années.

Depuis qu'elle avait cessé de croire à sa guérison. On aurait dit un robot.

Je me souviens de son prénom : Marie. Marie des Horreurs, qui doit encore figurer au musée de l'hôpital Saint-Louis. Marie, l'esprit muré.

Les infirmières diplômées étaient soulagées de laisser ce travail de soins pénibles aux stagiaires.

Nous restions un mois. On m'a demandé d'en faire deux. J'ai refusé. Marie m'a fait détester et craindre comme une malédiction les maladies de peau. Je comprends que l'esprit se refuse à accepter cette déchéance et que la folie puisse gagner ces pauvres corps abîmés. Dans la Bible, Satan n'a-t-il pas demandé à Yahvé de mettre Job à l'épreuve en touchant à son corps : « Peau pour peau ! Tout ce que l'homme possède, il l'abandonne pour sauver sa vie ! Mais étends la main, touche à ses os et à sa chair ; je te jure qu'il te maudira en face ! »

Fabrice se grattait et Fabrice souffrait. Il lui fallait des soins d'hygiène méticuleux.

Tous les jours, changer les draps, la taie d'oreiller, le pyjama, les vêtements. Laver le linge avec du savon de Marseille pur pour éviter toute agression supplémentaire. N'utiliser, à même la peau, que des sous-vêtements en coton, que nous ferons venir directement d'une usine allemande quand Fabrice grandira. Les caleçons longs en France sont difficiles à trouver.

Mon fils fragile, je caressais tes plaies et les plaques rouges de ton corps à l'écorce flétrie. Tout de suite, je sus les endroits les plus vulnérables, ceux qui nécessitent le plus d'attention. Je savais interpréter le petit rictus qui signale une démangeaison, les pleurs qui indiquent la douleur ; je faisais la différence entre celle qui est supportable et l'autre qui ne l'est pas.

Le matin, le corps était endolori, écorché, sanguinolent parfois. Les fissures des plis étaient collées et limitaient les mouvements. Il y avait la tête avec l'eczéma qui soude les cheveux et nécessite un bandage spécial pour la nuit. Les oreilles étaient enflées. Les lèvres fissurées, boursouflées, pouvaient à peine se séparer et la parole était douloureuse. Les bourses étaient crevassées comme un sol lunaire, avec ses cratères.

Puis le rituel du **bain** s'amorçait. Pendant que la baignoire se remplissait, nous préparions le matériel et les produits nécessaires. Il fallait surveiller la température de l'eau. Trop chaude, elle augmentait les démangeaisons; trop froide, Fabrice ne voulait pas rester dedans. Pour faciliter nos gestes quotidiens et améliorer son confort, mon mari avait inventé et fabriqué un système de planche amovible qui se rabattait sur la baignoire.

Lui aussi, quand il le pouvait, pratiquait la séance des soins et cela lui faisait mal à chaque fois.

Avec une infinie précaution, il fallait déposer ce corps douloureux dans l'eau, supporter les pleurs.

Dans le bain on mettait des produits désinfectants et le corps devait y tremper au moins dix minutes. Quand le médecin décidait de l'emploi de permanganate de potassium, il fallait en accepter les inconvénients. Cet agent dur teinte la peau du malade, noircit les mains du soignant, attaque l'émail de la baignoire. Si fortement qu'il faut se dépêcher de la récurer immédiatement après chaque séance.

Ensuite, pour adoucir la peau irritée, il fallait la rincer à l'eau douce.

La sortie du bain, l'instant où je l'enveloppais dans mes bras m'amenait enfin la récompense. Notre récompense. Je pouvais le cajoler, l'embrasser, distribuer mes baisers. Il en avait tant besoin. Il avait le droit de les réclamer avec insistance. Ce moment-là de bonheur entre nous, je voulais qu'il dure, que le temps s'arrête. Mais le traitement était loin d'être terminé. Il fallait sécher la peau et l'étudier. Aux endroits rouges mais non suintants je devais appliquer telle pommade, à tel endroit telle autre.

Quand la suppuration pouvait provoquer la surinfection, un pansement était indispensable. Parfois difficile à pratiquer si l'endroit était inaccessible. Il fallait désinfecter les oreilles, mettre un baume sur les lèvres. Chaque jour nous rendait plus adroits, mais le résultat n'était jamais à la hauteur de nos efforts.

Couleurs. Je les vois comme dans un arc-en-ciel... un mirage. Rouge de la bétadine, violet du permanganate, bleu du méthylène, noir du nitrate d'argent. Couleurs selon l'inspiration du médecin traitant.

Les histoires qu'il fallait inventer, la musique au maximum de décibels que l'on compose dans sa tête, pour ne pas entendre les cris...

Horreur des soins. Mon fils et sa douleur recommencée matin et soir. Je voulais le prendre en charge moi-même, l'assumer pour qu'il ne devienne pas, comme Marie, un fantôme aux yeux creux...

La peau de Fabrice, ce fut le handicap qui bouleversa le plus notre vie matérielle et morale. Vie matérielle parce qu'il n'était pas question de se déplacer dans un lieu où l'installation sanitaire eût été défaillante. Et le temps! En moyenne deux heures de soins par jour, afin que notre fils soit mieux dans sa peau, soit soixante heures par mois, sept cent vingt heures par an, et pendant dix-neuf ans...

Fabrice, à cause des contraintes qu'imposait son état, ne pourra s'évader. Nous non plus. Pas question de le confier à qui que ce soit, sans s'être assuré que les soins seront bien faits. Pour mon mari et moi, un fardeau incommensurable pour ne pas faillir à cette obligation vitale, inimaginable pour qui ne l'a pas vécue.

Ma colère remonte à la surface. J'entends encore les phrases assassines de quelques-uns qui se crurent tout-puissants. Car quand on a une maladie aussi rare que celle de Fabrice, on ne côtoie plus les médecins généralistes, on navigue dans les hautes sphères, celles des professeurs!

« L'état de l'enfant laisse supposer que le traitement local est mal appliqué... »

« La mère adapte le traitement suivant sa convenance personnelle et celle de l'enfant... »

Cette dernière phrase, je ne l'ai pas laissée passer. J'avais vu ce professeur une fois, pour faire plaisir à un autre professeur qui voulait nous faire quitter le dermatologue que nous avions choisi, parce qu'il ne pratiquait pas dans le même hôpital.

J'ai pris ma plume et j'ai, courtoisement, écrit ma façon de penser à celui qui, « par convenance », m'avait envoyée chez ce professeur méprisant :

« Cher docteur... N'ayant vu le professeur X. qu'une seule fois, je me demande sur quels critères est basé son jugement ?... Vous pensez bien que notre primordial souci étant l'amélioration de l'état de Fabrice, l'application du traitement dermatologique a toujours été suivie selon les ordonnances des spécialistes et quelles qu'en soient les difficultés... »

Plus tard nous avons été obligés d'avoir recours à ce service pour des raisons de commodités. Le courant ne passait pas. L'assistante nous regardait sèchement. Après un examen au chevet du lit de Fabrice, celui-ci eut cette phrase :

– Maman, je ne veux plus qu'elle m'examine, je ne suis pas une machine à laver...

Heureusement, dans cette spécialité, d'autres m'ont encouragée, félicitée, j'en avais tellement besoin pour tenir le choc. Des patrons ont reconnu, malgré leurs titres, leur impuissance. L'un d'eux m'a même demandé d'écrire au directeur de l'hôpital afin que sa consultation soit mieux organisée et que ses malades n'attendent pas. J'ai reçu une réponse et un effort a été fait en ce sens. Le professeur était content. Avec lui, Fabrice passait en priorité. Il considérait comme un devoir et non comme une faveur d'abréger son attente dans ces salles inconfortables pour qui souffre de plaies aux fesses. Il s'inquiétait des possibilités de surinfection possible à cause de la pollution microbienne due à la promiscuité des autres malades. Lui voyait, ressentait... Comme le professeur L. de l'hôpital Hérold. Eux savaient de quoi nous parlions.

Dans ce courant furieux de la maladie, seuls le courage et l'amour peuvent donner aux parents la force d'assumer. Mais il faut les aider. Ils assument le quotidien de la tâche. Ce sont les fidèles auxiliaires des prescriptions, mais ce ne sont pas des héros. Il faut savoir, pour un médecin, instaurer un dialogue de confiance et ne pas enfoncer sous l'eau la tête de celui qui quête l'espoir. Tendre la main, au lieu de juger sans savoir!

S'en rendaient-ils compte, ces donneurs de leçons, de la lourdeur du boulet à traîner chaque jour? De l'enfer de la contrainte? Le merveilleux de l'enfance transformé en corvée dès le réveil? Fabrice a compris, Fabrice a subi ses deux bains quotidiens. Parfois la révolte éclaboussait l'habitude, mais qu'aurions-nous fait à sa place?

Alors, cette incompréhension médicale, cette suspicion gratuite face à notre acharnement, j'assure qu'elle m'a gravement humiliée, mortifiée, abattue. J'ai relevé la tête pour Fabrice. Et quand il a commencé à comprendre les mots, les demi-mots, les regards pleins de sous-entendus, il en a, lui aussi, beaucoup souffert.

Il m'aimait car il savait que j'aurais donné ma vie pour rendre la sienne supportable. Alors, quand vous m'attaquiez injustement, messieurs les professeurs, vous lui faisiez une blessure supplémentaire. Si ses yeux noirs avaient été des pistolets, il vous aurait tiré dessus. Vous n'aviez pas le droit de douter de notre acharnement. Je crois qu'à ces moments-là, nous avons été, mon fils et moi, capables de haine.

Revenons en juin 1973. Dans le service de l'hôpital Hérold, l'équipe au complet se bat pour enrayer l'infection. Chaque jour je prends le métro pour retrouver Fabrice qui m'attend. Il a besoin de ma présence, de mon rire, il a besoin que je transfuse un peu de ma vie dans la sienne. Il n'a que cinq ans, et ne peut supporter seul ses malheurs.

Il reste un mois pour que la peau se cicatrise un peu. J'ai envie d'écrire à l'hôpital des Enfants-Malades pour qu'ils viennent voir comment une équipe soudée d'infirmiers, d'internes, de spécialistes a obtenu une amélioration, sans crier victoire, sans nous accuser ou nous rendre responsables de l'état de Fabrice à son arrivée. Amélioration précaire, c'est entendu. Ils nous le disent, ils sont honnêtes.

Ils ont dû refaire un bilan car apparemment la demande de suivi d'un certain dossier n'a pas abouti.

A cette époque la lenteur ou l'absence de communications médicales demeure encore très vive, surtout quand il s'agit d'un cas aussi intéressant pour les chercheurs. Résultat : Fabrice piqué, repiqué, parce que atteint d'une maladie exceptionnelle. C'est un côté critiquable de la recherche médicale. Nous faisons confiance au professeur L. Il nous propose l'hospitalisation à domicile, sachant que les séances de soins sont trop douloureuses à pratiquer pour les parents. Il envisage un départ en cure pour Fabrice. De toute façon, nous obéirons. Il faut tout essayer car la vie n'est plus possible. Christophe accompagnera son frère. Nous espérons que le séjour sera bénéfique à tous les deux; la séparation sera moins traumatisante.

Parallèlement l'hôpital nous a conseillé de tenter l'expérience du micro-climat de La Baule pour nos vacances d'été.

Nous connaissons, à La Bourboule, un home d'enfants, « Les Lys », où Christophe a déjà fait un séjour. La directrice accepte de se charger des deux frères. Nous les y conduisons et, sachant nos enfants bien protégés, partons explorer le département de la Loire-Atlantique

pour trouver une location d'été. Après un passage à La
Baule et dans la presqu'île de Guérande, nous avons un
coup de cœur pour le petit port de Kercabellec qui s'étale
dans une baie tranquille noyée de parcs à huîtres. Là, la
veuve d'un pêcheur veut se débarrasser d'une vieille maison de douanier qui d'un côté donne sur l'eau, de l'autre
sur un beau jardin.

La location devient achat. Avec une hardiesse témé-
raire, nous signons une promesse de vente. J'ai influencé
mon mari, beaucoup plus réfléchi que moi dans les décisions. Mais cet endroit est privilégié. J'ai une envie folle
de mettre de l'espace entre l'hôpital et nous. J'ai une
revanche à prendre sur le destin. Cette maison isolée, solitaire, me paraît idéale pour nous protéger des « agres-
sions » du monde impitoyable où nous vivons. Cette maison de Kercabellec représente des instants perlés où nous
avons cru être maîtres de notre vie. Éloignés des magiciens qui tenaient les fils de notre marionnette. Ce fut
une halte de bonheur dans la tragédie.

Nous la garderons dix ans. Dix ans où Christophe et
Fabrice s'y feront des souvenirs inoubliables. Mon mari y
passera des heures sereines, à la restaurer et à l'embellir.
Nous y ferons pousser des arbres, Fabrice plantera le
sapin bleu dont il rêvait.

En cet endroit, nous avons été heureux ensemble et
un peu plus libres qu'ailleurs.

Le retour vers Paris va se faire dans l'allégresse.
L'horizon paraît embelli. Nous en avons presque oublié
les enfants à La Bourboule. Les projets se bousculent dans
nos têtes. Nous sortons les valises de la voiture. Sur le
paillasson, c'est le réveil brutal! Un télégramme!

Avant de l'ouvrir, j'ai deviné son contenu : « Fabrice
hospitalisé à Clermont-Ferrand, venir d'urgence. »

Silence. Angoisse. L'état de grâce aura été de courte
durée. L'amour de Fabrice oblige à avoir du courage à

tous les moments. Mon mari doit reprendre son travail; je téléphone à ma sœur Chantal, qui habite Versailles, et celle-ci me propose de m'accompagner pour le voyage. Quelques heures plus tard, nous sommes dans le train. Dans notre compartiment, s'installe un individu affublé d'un chapeau de cow-boy. Il entame la conversation. Il travaille pour la télévision, et va tourner un film. Cet amuseur va nous faire rire pendant tout le voyage. Grâce à lui, j'ai repoussé mes angoisses. Quand le destin s'acharne à vous briser, on a besoin, on a le devoir de profiter de tout.

En arrivant à Clermont-Ferrand, il nous a proposé de nous conduire à l'hôpital. L'arrivée tardive la rend encore plus sinistre. J'ai le cœur serré. Je pense à l'abandon que doit ressentir mon fils. Le chef de service est là. Il a pris la décision de ne pas garder Fabrice et de le renvoyer aux Enfants-Malades où son cas est connu. Si je suis d'accord, il me propose de repartir immédiatement en ambulance.

Bien sûr, mais il me faut d'abord joindre la directrice de la Maison médicale où Christophe se trouve encore. Celle-ci, embarrassée, m'avoue que mon fils aîné n'a pas quitté l'infirmerie depuis son arrivée. L'asthme ne lui a laissé aucun répit.

Elle ne nous a pas prévenus car elle ne voulait pas gâcher notre semaine de vacances! Mais elle ajoute qu'il pourrait bénéficier du retour en ambulance de son frère. Elle termine avec gentillesse : « Une autre fois, malgré l'attachement qu'elle porte à mes enfants, il vaudrait mieux tenter une autre expérience. Apparemment le climat ne leur convient pas trop! »

Je n'ai pas encore vu Fabrice. On me demande de régler en priorité les problèmes administratifs; je pars en courant, dans un couloir semblable à celui du métro. Mes idées s'embrouillent. Je vois dans l'obscurité confuse du tunnel un aide-soignant qui pousse un fauteuil roulant.

Une silhouette emmitouflée dans une couverture y est blottie. Je cours, les images sont floues dans ma tête. Je dépasse le chariot. Mais il ressemble à Fabrice! Ce regard noir, fixe, figé comme celui d'un animal blessé, c'est le sien. Je rebrousse chemin. J'accroche son regard de détresse qui témoigne d'un bouleversant désarroi.

Je n'oublierai jamais.

Je me suis mise à genoux pour l'embrasser. J'ai posé ma tête sur sa main. Il m'a caressé les cheveux.

– Je croyais que tu ne me retrouverais pas. Je ne t'ai pas reconnue dans le couloir. Tu es venue me chercher?

Mes larmes que je ne pouvais retenir se sont mêlées aux siennes.

On a installé Fabrice dans l'ambulance. Le « Patron » est venu nous dire au revoir. Il avait prévenu l'hôpital des Enfants-Malades qui nous attendait.

L'âge avancé de notre chauffeur et son visage couperosé ne nous rassurent qu'à moitié. Il nous explique que pour un long trajet nocturne, la loi oblige à la présence de deux conducteurs. Sombre circuit dans les rues périphériques endormies où il essayera en vain de convaincre un collègue de l'accompagner.

Finalement, il nous propose de nous emmener seul à la condition de ne pas le dénoncer. Ce n'est pas très raisonnable, mais il est tard et nous ne pouvons faire autrement que d'accepter. Nous allons d'abord à La Bourboule chercher Christophe. J'ai hâte de le revoir. Celui-ci est heureux et amusé par la situation. Il va faire le trajet sur une civière à côté de son frère. Son souffle est rétréci mais il ne se plaint pas, comme d'habitude. L'ambulance redémarre. De Clermont-Ferrand à Paris le voyage sera folklorique. Notre compagnon apprécie les haltes « au bistrot » pour lutter contre le sommeil. Avec ma sœur, nous descendons quelquefois pour surveiller la nature des « remontants » qu'il se croit obligé d'ingurgiter.

Malgré ce travers, c'est un brave homme. Pour faire plaisir à Fabrice, il branche la sirène et plaisante avec lui. Nous roulons plus vite mais nous nous sentons mieux en sécurité; les autres automobilistes feront attention à nous.

Nous arrivons dans la cour des Enfants-Malades à trois heures du matin. Mon mari est là, inquiet et fatigué. On lui avait annoncé notre arrivée pour minuit.

Fabrice est orienté vers le service de pédiatrie alerté de l'urgence. Nous l'abandonnons jusqu'au lendemain aux mains expertes des infirmières. Au matin, avec notre Christophe à la respiration bloquée, nous retrouvons Courbevoie qui s'éveille.

Le chemin de l'hôpital des Enfants-Malades n'a plus de secret pour moi.

Septembre 1973. Fabrice est hospitalisé pour une pneumopathie. Octobre, novembre 1973. Fabrice est hospitalisé à l'hôpital Hérold pour une surinfection de la peau.

A la suite de ses rechutes continuelles, le service de l'hôpital Hérold décide d'envoyer Fabrice à la montagne dans un home d'enfants sanitaire. C'est « Chante Oiseau » près de Samoëns. Nous voilà encore, tous les deux, partis vers des lieux inconnus. Mon mari ne peut nous accompagner car il organise sa nouvelle équipe de travail et doit s'occuper de Christophe. Une fois encore, nous prenons la route de l'espoir. Dans le train, je lui raconte la montagne, la neige, les vacances qui le tiendront éloigné des contraintes des consultations.

— Tu verras, c'est mieux que l'hôpital, c'est une maison pour les enfants. Tu pourras regarder le ciel bleu et l'air pur améliorera tes plaies. « Chante Oiseau », c'est sûrement plein d'oiseaux...

Il rit, il est content de s'évader de sa prison de larmes. L'inconnu ne l'effraie plus.

J'espère beaucoup, moi aussi, du changement de climat. Nous arrivons à la maison familiale où nous sommes attendus. Un ménage nous fait un accueil chaleureux. Un détail s'avère important. Dans la cour, deux énormes chiens blancs des Pyrénées s'ébattent. Fabrice est conquis. Ces animaux ne rentrent pas dans la maison, mais font partie de la famille. Ils ont été un atout majeur dans l'acclimatation de Fabrice à ce centre. L'approche des animaux, à cause de ses allergies, lui était interdite, et il en souffrait.

– Tu as de la chance, Fabrice, d'être là.

Il s'étonne et admire la neige. Je retiens mes larmes de devoir me séparer de lui. J'ai la satisfaction d'avoir mis ma marionnette à l'abri, dans une cachette dorée. Cela me console un peu.

A pied je redescends le petit chemin en pente raide qui mène à la gare. J'ai tourné mon visage vers « Chante Oiseau » où deux petites mains s'agitaient derrière la vitre.

– Aimez-le bien pour nous, ai-je prié dans mon cœur, et ne lui faites pas de mal.

7 février 1974. « Monsieur, madame,

Votre gentil Fabrice s'adapte bien et se trouve heureux avec ses camarades. Ses plaies sont sèches et nous ne lui donnons plus qu'un bain par jour. Ses lèvres sont moins boursouflées et son cuir chevelu cicatrice doucement... »

28 février 1974. Nous recevons une belle photo de Fabrice appuyé sur le grand berger des Pyrénées. Il a l'air fier et heureux.

Fabrice va rester deux mois à Samoëns. Il en revient avec une meilleure mine et des plaies asséchées. Son aspect est moins maladif. En juin, il est hospitalisé au Kremlin-Bicêtre pour une étude immunitaire et un approfondissement de la fonction des polynucléaires. Petit à petit, nous avons l'impression de mieux cerner la maladie de Fabrice mais les médecins sont toujours incapables de trouver le bon traitement.

Nous allons très régulièrement à l'hôpital Hérold. Nous pouvons parler avec l'équipe de tous les problèmes que pose la maladie de Fabrice. Chacun essaie de comprendre et d'envisager des solutions raisonnables. Le traitement de Fabrice sera toujours le même, et à vie, si une découverte n'intervient pas; gammaglobulines intraveineux, antibiothérapie, antimycosiques, régime alimentaire, soins de peau, etc. Il est net que l'état de Fabrice a empiré depuis notre arrivée à Paris. Les médecins se demandent si nous ne devrions pas repartir en province. La question de la pollution de l'air ambiant est avancée. Peut-être aggrave-t-elle l'infection ?

Il y a seulement dix-huit mois que nous nous sommes installés à Courbevoie. Nous avons tous envie de fuir, car ce n'est plus possible de vivre de cette manièrelà ! Fabrice n'est plus un être humain, c'est un cobaye de qui la vie veut se retirer. Intéressant pour certains, déprimant pour ceux qui tentent de le soulager, gênant pour ceux qui ne supportent pas l'échec. Et chacun tire la ficelle de ce destin affligeant.

C'est facile de s'en aller. Il suffit de prendre le premier train en partance, pour laisser derrière soi ses malheurs. Mais ce n'était pas si simple et je comprenais l'embarras dans lequel se trouvait mon mari d'avoir à formuler une demande de mutation. En poste depuis peu dans ses nouvelles fonctions, sa société lui demandait de faire ses preuves sur plusieurs années avant de le titulariser.

Ces entreprises géantes sont plus attachées au développement de leurs affaires qu'aux problèmes privés de leur personnel, et il est difficile d'y trouver l'interlocuteur qui puisse vous comprendre.

Il nous a fallu constituer un dossier solide pour avoir quelques chances d'être entendus. Seuls les certificats médicaux délivrés par des sommités purent convaincre de la gravité de la situation.

Parmi le nombre imposant de certificats médicaux dont nous avons pu disposer, l'un m'a fait plaisir :

« Eczéma évoluant de façon atypique avec adénites infectieuses secondaires. Malgré le traitement bien suivi par les parents, l'eczéma semble s'être aggravé depuis l'arrivée à Paris de la famille. » Observation du docteur Bernard. 1er juillet 1974.

Merci docteur, nous partirons à Dax la tête haute, avec un bon certificat, et nous n'aurons pas honte de faire connaissance avec une nouvelle équipe médicale.

Au chapitre des mesquineries, il y a la Sécurité sociale, qui refuse le remboursement du trajet en ambulance de Clermont-Ferrand à Paris. Motif invoqué : « L'enfant pouvait être soigné à Clermont-Ferrand. » La facture est importante, et ce refus m'apparaît comme une injustice.

Je me déplace à la Sécurité sociale et demande à voir un responsable. Celle-ci, une femme chef de service, m'écoute et se scandalise. Il faut dire que le dossier de Fabrice est particulièrement impressionnant.

A mon étonnement, elle me propose de m'aider et me conseille de faire appel. Ce qui consiste à faire un procès. Mais, me dit-elle, il vous faudra de la persévérance, du courage et de la patience : beaucoup abandonnent en cours de route.

Échanges de lettres, certificats médicaux, un dossier énorme. Dix-huit mois de palabres. Mais je n'ai pas envie de céder. J'obtiens l'aide du pédiatre de Clermont-Ferrand, furieux de voir sa parole mise en doute. Dix-huit mois plus tard, la dernière expertise a lieu à Bayonne. Le médecin expert me convoque avec Fabrice (nous habitons Dax à cette époque). Il nous reçoit dix minutes :

– Que voulez-vous que je marque sur le papier ? Le dossier de votre fils est tellement lourd que je n'ai pas le temps de me mettre dedans. De plus je ne connais pas cette maladie, je suis mauvais juge.

Victoire ! Nous avons gagné. J'en ai été heureuse pour mon fils. On ne peut se laisser aplatir indéfiniment. Il faut des victoires pour reprendre confiance en soi et continuer la guerre. Tout le monde n'est donc pas contre nous.

Ce n'est qu'une anecdote. Mais elle montre qu'en plus des obstacles médicaux, il faut surmonter les problèmes administratifs : fournir à temps les papiers, ne pas oublier les démarches, les rendez-vous de contrôle à la Sécurité sociale, etc. Ma double formation d'assistante sociale et d'infirmière m'a aidée dans ces perpétuels affrontements. Mais comment font-ils, ceux qui n'y sont pas préparés ?

IV

Dax, septembre 1974 – mars 1979

Dax, c'est une station thermale réputée qui donne vie à l'agglomération entière. Cure pour les adultes d'âge mûr ou les gens âgés... La place de La Fontaine-Chaude, Champs-Élysées de la ville, est entourée de nombreuses boutiques gastronomiques. Nous sommes au pays du foie gras et des confits.

Ce matin-là, je suis descendue du train sans prise en charge médicale particulière mais avec une mission. Trouver rapidement un logement.

Au bout de trois jours, j'avais fait le tour des Agences immobilières sans succès. La crise du logement ne sévit pas qu'à Paris. Ayant appris à connaître cette petite ville, je décidai de prospecter moi-même, en commençant par une grande avenue bordée de lagerstrœmias roses, que j'avais repérée. J'entrais en communication avec les habitants.

Mes interlocutrices étaient plutôt des petites vieilles penchées sur leur carré de jardin. Je les félicitais de leurs plantations, parlais du temps et finis par arriver au but. La chance me sourit enfin. L'une d'entre elles, juchée sur une échelle, cueillait des cerises. Je m'extasiai sur leur volume et leur couleur. Bien m'en prit car la confiance s'installa. Finalement, cette petite dame courbée me confia qu'une de ses amies louait une maison dans le voisinage; les locataires, militaires de carrière, étaient mutés dans une autre région.

La vieille dame m'accompagna chez son amie. Nous visitâmes la maison et le marché fut conclu.

La maison, un grand chalet à la landaise, nous convenait parfaitement. Outre les pièces en nombre suffisant, un atelier sous le toit attendait qu'on l'utilise. J'y voyais déjà installées mes chutes de tissus nécessaires à la confection des patchworck et mon matériel de peinture. En outre, à l'extérieur, il y avait une annexe où mon mari pouvait avoir un bureau indépendant. C'était parfait. Je me suis dit que Dieu ne nous avait peut-être pas complètement abandonnés. Mes rapports avec lui ont toujours été directs. A cette époque, je croyais encore un peu à sa miséricorde. Mais le doute planait sur la nécessité des épreuves qu'il nous envoyait. Si l'épreuve principale de la douleur avait été uniquement la mienne, j'aurais peut-être pu y donner une réponse. Mais elle frappait mon fils qui n'avait pas péché et jamais « maudit Dieu dans son cœur ». Au fil des années, mes doutes ne firent qu'augmenter.

Le voisinage de notre quartier eut une importance considérable sur notre vie dacquoise. Nous avons rencontré des gens simples qui ont compris avec leur cœur la solitude de notre famille éprouvée.

Les M. étaient nos voisins les plus proches. Artificiers renommés, ils participaient aux nombreuses réjouissances de la région. Leur boutique et leurs bureaux jouxtaient la maison et Fabrice lia vite connaissance. Dans le temps, notre logis appartenait à leur famille. Une porte en fer séparait nos jardins. Le nôtre avait la taille d'un jardinet de curé. Le leur était un parc joliment arboré et peuplé d'animaux, âne, chiens, oiseaux, volailles en liberté. Ils prêtèrent tout à Fabrice. Leurs deux enfants devinrent ses amis. La famille élargie adopta notre enfant « pas tout à fait comme les autres ». La grand-mère, avec son délicieux accent du terroir, fut particulièrement attendrie par lui. Elle le gâtait, lui donnait des friandises en cachette. Elle lui demandait, parfois, d'aller garder l'arrière-grand-mère qui sommeillait devant la télévision. Fabrice était fier de cette charge. A six ans, il avait besoin de compagnie, et d'être aimé sans différence. Il avait trouvé chez eux une seconde famille.

Cet accueil naturel et chaleureux, ce fut notre premier rayon de soleil à Dax.

Il y en eut un autre, grâce à Christophe. A l'école, il devint ami d'un garçon appartenant à une famille nombreuse. Leur amitié fut un soutien solide, durable, indispensable pour survivre dans les chocs à répétition. Chaleur humaine, compréhension, simplicité, on rencontre souvent ces qualités au sein des familles nombreuses qui doivent se débrouiller avec peu.

Le père, militaire de carrière, nous ouvrit les portes de la base, privilège rare pour les civils. Cela nous permit de partager agréablement les loisirs et l'amitié de certains. Le commandant de la base et sa femme, qui avaient un enfant handicapé également, devinrent des amis. Mon mari (l'École d'application d'hélicoptères de l'armée de terre est basée à Dax) revoyait les hélicoptères non sans émotion. Nous n'étions plus seuls et la vie commençait bien.

Dax, miroir joyeux, mais Dax où il faut prendre aussi les choses au sérieux. Les enfants, dans leur école, vont une fois de plus découvrir un milieu nouveau. Fabrice va y trouver le sourire, son « sourire landais », celui qui témoigne de son bonheur d'avoir largué les amarres avec l'hôpital, d'avoir laissé sur le quai un environnement en blouses blanches.

Notre quartier, le Gond, a une école primaire perdue au milieu des pins. Fabrice va faire rapidement l'apprentissage particulier de l'orthographe : « Mes enfants », dit l'institutrice avec une intonation nasale, « " le peing ", ça s'écrit P.A.I.N., sans G. »! On dessine beaucoup. La maîtresse s'étonne. Tous les personnages dessinés par Fabrice ont des points rouges sur le corps, les boutons, stigmates de sa maladie. La maîtresse n'a jamais vu ça ; lui projette inconsciemment son mal. Il s'attache à son école si proche de la maison, si reposante. Mais le démon le suit. L'ombre de l'hôpital plane.

La nourriture déclenche des réactions allergiques de plus en plus fréquentes et dangereuses. Les œdèmes de Quincke se multiplient et ne se maîtrisent pas sans hospitalisation.

Certains individus sont des habitués des musées des villes, nous, nous sommes des personnages de musée pour les hôpitaux. Fabrice va inaugurer son énième. Le chef de pédiatrie, un petit homme sec, va nous recevoir comme le grand-père qu'il est d'ailleurs et va s'acharner à lutter avec nous.

Les essais thérapeutiques sont draconiens. On supprime toute alimentation naturelle et on nourrit Fabrice avec des préparations énergétiques fabriquées en Angleterre ; les boîtes arrivent au laboratoire de l'hôpital où nous allons les chercher.

Quelle contrainte, quelle bataille pour l'obliger à manger ces produits infects au goût et d'aspect écœurant.

En même temps, il faut continuer le traitement de base, administrer les antibiotiques, les antihistaminiques, les vitamines, les antimycosiques, injecter les douloureuses piqûres de gammaglobulines et faire face aux interminables soins.

Le médecin espérait que ce traitement améliorerait l'eczéma des plis, il n'en est rien.

Alors, au bout de six mois, on rétablit petit à petit

une alimentation à peu près normale en excluant les produits devenus de véritables poisons pour son organisme : viandes rouges, poissons, féculents, bananes, ananas, arachides, etc., la liste s'allonge. Préparer les repas est un exercice périlleux, manger devient pour lui une corvée. Ce qui devrait être un plaisir est une partie de pocker souvent perdue d'avance. Un moment d'angoisse terrible à camoufler !

Mal étrange et angoissant, que l'œdème de Quincke, qui demande à la famille une maîtrise parfaite. Il ne faut pas se paniquer, mais on ne peut jamais minimiser la crise. Fabrice, qui avait appris à connaître les réactions de son organisme, savait nous dire si la prise d'antihistaminiques serait suffisante ou s'il devait se faire hospitaliser.

Entre ces deux solutions, il y avait un temps de latence angoissant. On le surveillait, le cœur battant. Si la crise s'aggravait, il fallait de toute urgence se diriger vers l'hôpital ou appeler le S.A.M.U.

Nous faisions extrêmement attention au choix des aliments et j'avais établi un cahier de recettes. La viande de volaille ne déclenchait pas d'allergie et était souvent utilisée.

Malgré notre extrême vigilance, des accidents arrivèrent.

Lors d'un retour de vacances, nous nous étions arrêtés pour faire le plein d'essence et les enfants en avaient profité pour acheter un paquet de gâteaux. Nous avons repris la route quand Christophe nous a alertés :

– Fabrice n'est pas bien !

Je me retournai et découvris mon fils déjà défiguré par l'enflure et ne pouvant plus parler. Nous nous arrêtâmes sur le bas-côté et je sortis de ma trousse d'infirmière une seringue et une ampoule de cortisone. Ce jour-là, nous n'avions pas d'alcool, aussi utilisai-je le cognac offert par mon beau-père, pour désinfecter l'endroit de la piqûre. Nous repartîmes en silence. L'angoisse nous tenaillait et je pensais à l'inquiétude qui devait envahir Fabrice.

L'agent provocateur fut découvert, c'était le miel contenu dans les gâteaux.

Les réunions de famille et les fêtes posaient aussi problème.

Ce jour-là, nous étions invités à la profession de foi de mon neveu. Au moment de goûter, Fabrice choisit un petit sandwich au pâté et alla s'asseoir près de son frère comme il en avait l'habitude quand il y avait une réunion. D'ordinaire les charcuteries s'avéraient sans risque pour lui. Quelques instants plus tard, Christophe vint nous prévenir qu'il fallait très vite emmener son frère à l'hôpital. Nous nous éclipsâmes discrètement pour ne pas assombrir l'atmosphère de la fête. L'hôpital étant tout proche, Fabrice fut perfusé dans les minutes qui suivirent. Cette fois-ci, il resta en observation jusqu'au lendemain soir.

Peu de temps après, sa cousine Marie l'invita à une représentation de son cours de danse. L'après-midi devait se clore par un buffet campagnard. Buffet tentateur, mais l'alerte précédente, sévère, était encore en nos mémoires. Pour que Fabrice ne se sente pas brimé d'en être écarté, qu'il ne sente pas, une fois de plus, marginalisé devant tout le monde, je lui proposai de terminer la soirée avec moi dans une crêperie. Il aimait beaucoup cela et acquiesça joyeusement.

Il commanda une crêpe aux oignons, choix tout à fait raisonnable.

Quelques minutes après avoir ingurgité les premières bouchées, il commença à se sentir mal, et à demander que l'on ouvrît la fenêtre. Les gens nous regardaient sans comprendre. Puis, le malaise empira.

– Maman, appelle vite le S.A.M.U. !

Je le confiai à mes voisins de table ébahis pour pouvoir aller téléphoner.

Tous les clients nous regardaient sans comprendre. Je sortis une chaise dehors et y installai Fabrice. Les minutes nous paraissaient incroyablement longues.

Le S.A.M.U. arriva enfin et brancha une perfusion dans les veines de Fabrice avant de le transférer à l'hôpital. Il respirait difficilement et des plaques rouges apparaissaient sur son visage.

En arrivant dans le service, je pus enfin téléphoner à mon mari pour le prévenir. Il nous croyait encore à la fête de la danse...

En mai 1985, le comité d'entreprise du centre où je travaille organisa un séjour de trois jours à Londres. Je pensais que pour Fabrice ce serait une formidable récompense de pouvoir nous accompagner.

La présence de médecins dans le groupe me rassurait. Fabrice était fou de joie de participer au voyage, appareil de photo en bandoulière.

Un soir, nous allâmes dîner dans une pizzeria. En quelques minutes, il se mit à enfler. J'avais oublié les médicaments à l'hôtel. Je le confiai à mes collègues, et partis en courant chercher les remèdes.

Cette fois-là, heureusement, la prise des comprimés suffit à enrayer la crise.

Ces exemples montrent bien la difficulté de vivre avec une telle contrainte. Ce handicap, parmi les autres, eut de nombreuses répercussions. La garde de Fabrice faisait peur et fréquemment on n'osait pas l'inviter à cause de ce risque.

Cette infirmité reconnue et décrite dans son dossier rendait son admission dans les établissements scolaires normaux très aléatoire. La complexité du régime alimentaire et la crainte des responsabilités lui fermèrent bien des portes.

Le dermatologue, le docteur D., est particulièrement acharné dans sa lutte pour soulager Fabrice. Il vient à la maison et nous montre comment faire les soins, tout en s'excusant de violer notre intimité. C'est la première fois que je vois cela. Le médecin penché sur la baignoire à notre place. Il désespère de voir ses efforts non récompensés et reconnaît que l'affection de la peau est particulièrement rebelle à la thérapeutique. J'admire sa gentillesse, sa compétence.

En novembre 1975, la décision est prise de faire admettre Fabrice dans un centre médical à Capbreton : les soins, la surveillance du traitement sont extrêmement importants et incompatibles avec une scolarité normale. A cela s'ajoute le problème diététique.

Fabrice va avoir sept ans.

Sa chère école, ses amis vieux et jeunes de l'avenue Francis-Planté, il va devoir leur dire au revoir. C'est déjà une figure dans le quartier. Chacun porte un peu de son fardeau, gêné de le voir si jeune et si meurtri par le destin. Fabrice a eu l'art de communiquer avec eux parce qu'il avait besoin d'être reconnu et aimé, malgré son aspect. Ce besoin de portes ouvertes vers lui, il ne l'oubliera jamais, jusqu'aux portes de la mort :

– Maman, quand je serai guéri, j'irai habiter à Dax!

Dax aussi a beaucoup aimé Fabrice.

Si Fabrice dit au revoir à ses nombreux amis, je vais, moi, devoir accepter de le voir s'éloigner de moi. Sa vie tient tellement du miracle qu'une séparation est un effort et une douleur. Mais j'ai confiance. J'espère qu'il ira mieux au bord de la mer, et qu'il pourra être scolarisé plus facilement.

Mon petit bonhomme va annoncer son départ aux riverains. L'épicière et ses bonbons; M. Jules et ses roses;

nos amis-voisins magiciens qui fabriquent des feux d'artifice dont les étincelles ont éclairé le cœur de Fabrice.

Placer un enfant est un acte important, une épreuve et une preuve d'amour pour notre cas personnel. Il n'a que sept ans et on lui a déjà beaucoup volé de son enfance. Cet enfant qui a tant besoin d'amour va-t-il en trouver là où nous devons le laisser ?

En visitant le centre hélio marin, nous nous rendons compte que nous avons de la chance de bénéficier de cette structure recommandée par le médecin. Fabrice pourra profiter d'une attention spéciale, de soins appropriés (l'infirmière a travaillé en dermatologie à l'hôpital de Bordeaux) et d'une scolarité sur place. L'endroit est proche de Dax où nous habitons, le trajet s'effectue facilement, nous pourrons aller le voir souvent.

Le centre hélio marin de Capbreton est un ensemble de plein air bâti au-dessus de la plage. Un ensemble harmonieux, immense, privilégié, face à l'océan dont les vagues déferlent sur le mur protecteur. Une centaine de fenêtres plongent directement sur la mer et font entrer le bruit des vagues. Les façades opposées donnent sur des jardins. Un peu plus loin une salle de sport de réalisation moderne et les bâtiments scolaires. Sur la porte d'entrée une vieille inscription : « Préventorium marin ».

Pendant trois ans, nous effectuerons régulièrement le trajet Dax-Capbreton. Christophe, dont l'appareil pulmonaire, à douze ans, refuse de fonctionner normalement va rejoindre son frère l'année suivante en raison de l'aggravation de son asthme. Fabrice sera fou de joie d'avoir son frère aîné à ses côtés, et Christophe acceptera la décision médicale sans révolte apparente, tant il a le désir de mieux respirer. Au centre, les critères d'admission sont variés. Certains jeunes viennent faire une cure de repos, d'autres un séjour prolongé dû à leur mauvais état de santé ou à leur situation familiale particulièrement compliquée. Un médecin est attaché au centre et dirige les traitements. Une infirmière remarquable l'assiste et se charge de l'application des traitements. Une école primaire dispense la scolarité aux pensionnaires; les grands vont au collège d'enseignement général à Capbreton. Ces derniers sont logés dans des appartements aménagés. Quant aux petits, ils sont dans une unité au confort limité, car les locaux sont vétustes.

Les jeunes qui y vivent ne sont pas des « chanceux » de l'existence. Fabrice, qui est entièrement pris en charge par Mme A. l'infirmière, s'adapte au changement. Il est en retard sur le plan scolaire et nous préférons le laisser redoubler sa classe préparatoire. Les quelque cinq cents mètres de marche entre le foyer et l'école sont parfois impossibles à parcourir pour lui. Comme à Courbevoie, on lui achète un tracteur et c'est le directeur de l'école qui le tire pour l'amener à sa classe. C'est une humiliation supplémentaire, mais ses camarades comprennent, acceptent sans rien dire et finalement le problème est résolu. Fabrice a gardé son sens du contact et malgré son lourd handicap il devient un personnage. Les autres l'aiment. Il est quelqu'un qui réagit, qui lutte, qui rouspète mais qui sait s'amuser quand il peut.

A l'école, cette année-là, il avait un maître traditionnel et sévère qui parcourait les bancs, sa règle à la main et savait s'en servir. Il tirait facilement les oreilles et Fabrice, qui avait les siennes toujours couperosées et abîmées, le craignait beaucoup.

L'amitié, la soif d'être aimé, lui ont servi de rempart contre le désespoir. Parmi tous ces enfants rassemblés, Fabrice va en choisir un qui le choisira lui aussi. Et Éric, pensionnaire au centre, fait son apparition dans sa vie. Ils seront inséparables pendant ces trois années. Éric, c'est un petit garçon sérieux, malingre, affectueux qui sera le compagnon de chambre et de jeux toujours fidèle. Éric viendra souvent à la maison, car il habite à Dax, et nous le recevrons en Bretagne pour les vacances. Cette amitié améliorera beaucoup le traumatisme de ce placement obligatoire. Cette amitié, nous la respecterons jusqu'au bout, chacun apportant à l'autre une valeur. Éric, dont la séparation des parents s'est terminée en drame, Fabrice dont la vie est tragique, s'accrochent l'un à l'autre et partagent leurs peines et leurs joies.

En 1984, neuf ans plus tard, ils se reverront pour la dernière fois. Cette année-là, nous avons loué une maison au Cap-Ferret. Les garçons ne se sont pas revus depuis quatre ans. Éric a accepté de venir passer quelques jours avec nous. L'impatience de Fabrice pour ces retrouvailles est émouvante. Il est fidèle en amitié et excessif dans ses attachements. Il est heureux d'être important pour quelqu'un. Habitués que nous sommes à notre fils, nous avons omis une seule chose à ce moment-là, c'est qu'il n'a pas grandi comme les autres adolescents.

Éric arrive en voiture avec sa mère. Nous retrouvons un grand gaillard aux cheveux longs, affublé d'un blouson de cuir décoré dans le dos d'un superbe dragon doré! C'est la stupeur devant cette métamorphose. Nous avions quitté un enfant, nous retrouvions un homme. Je retiens mon souffle devant la différence. Mais, le miracle se produit. Tout petit devant Éric, Fabrice s'avance : « Tu as mieux grandi que moi. » Éric sourit, lui tend la main et le prend par l'épaule.

C'est gagné, ils n'ont rien oublié. L'amitié qu'ils se sont donnée mutuellement dans ce monde singulier du centre s'est maintenue; le temps n'a pas ébranlé leurs souvenirs. L'aspect de l'un, l'aspect de l'autre a peu d'importance sur l'échiquier de la vie. La richesse qu'ils possèdent, leur chemin difficile partagé valent mieux que les façades ravalées de nos maisons. Pendant cinq jours, ce sera la joie complète. Éric emmenant Fabrice au café du port où il n'aurait jamais osé s'aventurer seul, de peur du regard des autres. Ils ont pris des photos. Nous les avons emmenés au restaurant, ils ont regardé la dune du Pilat que Fabrice n'aurait pu escalader.

... Ce fut leur dernière rencontre.

Entre-temps, nous vivons, nous travaillons, nous buvons notre force à l'énergie des autres. L'état de santé irrégulier de Fabrice continue de se dérégler. A l'approche des vacances scolaires on tremble un peu plus. Allons-nous pouvoir bénéficier d'un répit ?

Pour les vacances de Pâques 1975, le médecin du centre est indécis. Fabrice n'est pas bien. Sa peau n'est pas belle, son visage est ravagé et son corps douloureux. Les doses renforcées de médicaments atténuent sa vitalité. Peut-être un changement d'air lui fera-t-il du bien ? Je décide quand même de partir à Kercabellec, avec une de mes amies, infirmière, et ses trois enfants.

Deux jours après notre installation, Fabrice ne se lève plus. Recroquevillé sur un matelas pneumatique, nous ne le quittons pas et le transportons du jardin à la maison, de la maison à la mer. Il ne peut plus manger seul. Les plaies sous les bras ont creusé des cratères. Les enfants se relaient pour le nourrir à la petite cuillère et lui raconter des histoires. Trop mal, Fabrice ne veut même plus aller dans la baignoire. Il faut que Christophe, qui sait que la désinfection est vitale pour son frère, s'y installe avant lui pour qu'il accepte d'y entrer. L'idée de la contagion ne nous effleure même pas !

Mais l'odeur, petit à petit, devient nauséabonde. Les taches des plaies qui suintent sur les draps s'élargissent. L'odeur fétide est le signal d'alarme de l'infection redoutable que je connais et que je crains. Les bains sont inefficaces, les médicaments sont dépassés !

J'installe Fabrice à mes côtés pour la nuit. Il dort

mal, il gémit; son regard est perdu. Il laisse pendre sa main vers moi :

– Maman, je t'en supplie, parle, raconte-moi n'importe quoi. Quand tu parles, je souffre moins, sinon c'est insupportable...

Et je parle, je parle... Je sais que je suis vaincue, que nous avons encore perdu cette bataille-là. Ma main serrant la sienne, je suis brisée de ne pouvoir lui transfuser mon sang, ma force.

Je parle, j'invente, je raconte en vain.

Le médecin qui nous connaît vient chaque jour. Il finit par renoncer :

– Vous avez fait le maximum, maintenant il faut l'hospitaliser!

Parce qu'il est plus proche de Dax, je choisis l'hôpital de Bordeaux, où Fabrice est admis en dermatologie le 1er avril. Lors de son séjour, Fabrice a entendu l'exclamation d'un adulte :

– Mais cet enfant est pourri!

Phrase de stupeur, sans méchanceté voulue, mais néanmoins meurtrière. Je l'ai entendue aussi, cette phrase cruelle qui ne s'effacera jamais de la mémoire de mon fils.

Fabrice souffre d'un début de septicémie et le professeur M., une fois encore, me prend à part pour me demander de ne pas venir le matin pour ne pas assister aux soins. J'ai compris l'allusion. Je sais. La souffrance de Fabrice va être atroce.

Mais Seigneur, qu'a donc fait mon fils martyrisé pour que vous l'éprouviez de la sorte! Le Seigneur, je l'implore de temps en temps et je l'injurie souvent parce que je ne supporte pas la jeunesse de Fabrice brisée par la maladie. Si Dieu existe, pourquoi tant de douleur concentrée sur un seul être?

Le Seigneur va quand même indirectement me rendre service, malgré moi. N'ayant personne pour m'accueillir dans cette ville de Bordeaux, je vais m'installer à l'hôtel des Sœurs, réservé aux familles ayant un proche hospitalisé. C'est une entreprise généreuse, utile. Mais l'expérience n'est pas euphorisante. Les personnes regroupées dans ce lieu sont inquiètes, seules, parfois déprimées. Leur souci est la guérison de leur malade. Elles en parlent, et le poids de la souffrance des autres s'ajoute à votre détresse.

Prévoyant une longue hospitalisation, j'ai glissé dans ma valise un sac de morceaux de tissus. Le matin, dans le jardin de la communauté, je m'installe et je couds. J'ai composé une course de vaches landaises et découpé des dizaines de spectateurs. Certains éblouis par le soleil, d'autres à l'abri, à l'ombre. Tous en liesse, accrochés aux gradins de l'arène. C'est ma participation au renouveau de Fabrice. Il aime les fêtes, je lui en fabrique une. Ce tableau nous a suivis partout.

Nous passons l'après-midi ensemble. Il me raconte les tortures du « décapage » des plaies. Je l'écoute, oppressée. On joue. Le retour à la pension n'est pas des plus réjouissants, mais on s'y fait. Un soir, j'ai réussi à ruser pour aller au cinéma. Ce fut un exploit, car la sœur ferme la porte à clé à dix heures!

Cette escapade m'a permis de retrouver des amis et de fuir la salle de télévision. Là aussi, les pensionnaires racontent leurs misères.

Fabrice est resté trois semaines dans le service de dermatologie. L'application des soins intensifs, une antibiothérapie massive, une corticothérapie associée ont fini par vaincre l'infection. Le chef de service nous laisse partir mais il nous demande de revenir dans dix jours. Le trajet Bordeaux-Dax va-t-il, lui aussi, devenir une habitude?

Mon mari et Christophe sont venus nous chercher.

Pendant mon absence, la solidarité dacquoise a bien fonctionné : ils n'ont pas été complètement abandonnés.

Les Landes et ses senteurs de pin vont à nouveau nous absorber. Si seulement on pouvait s'y enivrer...!

Au fur et à mesure que je défile ma vie à l'envers, il me semble décrire un cauchemar insupportable. J'ai envie d'arrêter. Mais cet hommage, Fabrice, je me suis promis de le continuer jusqu'au bout. Cette douleur absurde de la guerre perdue, je dois en témoigner pour les mères meurtries, pour les médecins aveugles. Ce livre doit être utile. Un jour, Fabrice m'a dit : « J'apprendrai aux jeunes, quand je serai grand, à parler aux professeurs. » En sa mémoire, je continue. Mais comment faire comprendre ce désespoir absolu qui anihile notre être et nous oblige pourtant à lutter ? Mères, nous sommes si nombreuses à être blessées et à ne jamais rien en dire...

Quand je rentre chez nous, je t'appelle encore, Fabrice ! Je sais que le silence va me répondre. Je ne suis pas encore habituée à vivre sans toi. Le serai-je seulement un jour ? Mes souvenirs s'entassent dans des tiroirs de peine.

Je me souviens de tes arrivées à la maison. Mes absences, mes retards t'inquiétaient.

– Maman, qu'est-ce que je deviendrais, si tu mourais avant moi ?

Tu pensais souvent à la mort. Un jour – tu étais en train de peindre des galets – tu m'as lancé :

– Je n'ai pas peur de la mort !

– La mort, qu'est-ce que cela représente, pour toi ? t'ai-je répondu. Tu devais alors avoir douze ans.

– Une autre vie sans corps. D'ailleurs, quand tu seras morte, j'irai te chercher. Je creuserai ta tombe pendant la nuit, pour que personne ne me voie, et je prendrai ta tête, parce que c'est là où l'on pense !

Petit Fabrice, qui me répétait aussi : « J'oublie ma maladie, quand j'ai l'esprit occupé », j'étais ton bouclier.

« Maman, tu me supportes malade. Ça veut dire " Est-ce que tu m'aimes ? Tu m'en veux pas d'être au monde ? Qu'est-ce qui me met dans cet état-là ? C'est mieux de vivre malade que de ne pas vivre, mais c'est dur " », avais-tu écrit dans ton journal, à cette époque.

Rien ne remplace l'amour maternel dans un tel abîme de misères. Mais vous, qui ne voulez pas savoir, qui parfois vous voilez la face, sachez combien c'est dur d'être obligée de se cacher pour pleurer. Certains jours, on voudrait mettre un terme à la lutte, s'enfuir. Très loin. Mais l'amour vous tient mieux qu'une chaîne de forçat.

Si vous êtes faible, vous décrochez. J'en ai connu. Il faut les plaindre. J'ai vu des couples déchirés, écorchés, abattus, séparés parce que vivre dans la souffrance et continuer à organiser une vie de famille est une gageure, un exploit. Un équilibre qui à tout instant peut se rompre. Tel fut le cas pour cette jeune femme dont je fis la connaissance dans le service d'immunologie.

Son mari et elle tenaient un restaurant. Leur fils unique est tombé malade. La mère a cessé de travailler pour être disponible. Ils ont dû embaucher du personnel ; mais l'affaire a périclité jusqu'à la faillite. Le mari trouve un poste de représentant qui ne lui plaît pas. L'enfant devient difficile et ne guérit pas... Les disputes ont commencé, et ils ont dû se séparer...

Quand on croise ces familles à longueur d'année dans les couloirs d'hôpitaux, on apprend l'indulgence.

La maladie grave et chronique entraîne un bouleversement complet de la vie familiale et démolit beaucoup de rêves !

En ce qui nous concerne, nous avons essayé de choisir la meilleure solution pour Fabrice. Mais que dire de ce choix par rapport à mon mari, à notre fils Christophe, à nous tous ensemble ?

Il faut aimer au centuple pour tenir dans la tempête. Mon fils, ma marionnette, mon bateau !

On m'a répété que ma lutte était sans espoir, que ta course, Fabrice, était perdue d'avance. Que je me battais pour un bateau pourri. Un bateau malmené par des océans de souffrance. Les haltes aux ports des hôpitaux m'obligeaient à m'effacer devant les médecins, ces techniciens. Je supportais mal les grands ravalements douloureux. On m'a montré du doigt. Le capitaine est toujours un peu responsable de l'état du bateau. Les parents silencieux, absents, sont mieux tolérés par la société. Dans la bataille, il faut être très grand, ou tout petit, insignifiant.

Une telle aventure ne peut arriver que dans les pays civilisés. Ailleurs, mon épave aurait sombré depuis longtemps... Ai-je bien fait de t'avoir entraîné dans cette course au long cours si hasardeuse et si douloureuse pour toi ? Il y a des soirs où je le regrette...

Mes larmes coulent en revivant ton calvaire. Mais tu voulais laisser un témoignage : « Maman, écris ce que je voudrais dire...

« Je voudrais que personne ne soit indifférent à un enfant malade... Je voudrais qu'on ne laisse plus des parents désemparés traîner dans les hôpitaux comme des épaves abandonnées. Qu'on sache les écouter... »

Kercabellec, été 1976 : des amis ont acheté la maison mitoyenne à la nôtre. Une chance pour nous, et pour les enfants. Sur le petit pont, ils vont jeter leurs balances pour attraper des crabes. A marée basse, ils ramassent des moules. Le matin, j'essaie de faire un peu travailler Fabrice, qui s'applique.

Il s'expose nu au soleil, pour sécher ses plaies. Il joue au baby-foot. L'après-midi, Christophe, après avoir entouré son frère de plastique, pilote prudemment le kayak pour qu'aucune goutte d'eau n'atteigne la peau de Fabrice... Ils ont le droit de peindre sur les murs de leur chambre, d'aller au cinéma de plein air... Une vie simple et tranquille, une vie ordinaire... Une sorte de bonheur qui illuminait le regard profond de Fabrice.

Pour ne pas perdre pied en l'absence de mes enfants pensionnaires à Capbreton, je cherche du travail, ce remède à l'angoisse et à l'ennui. Dans un grand parc, au cœur de la campagne landaise, un château de conte de fées reçoit des handicapés lourds. On me propose de m'occuper des familles, d'organiser les visites médicales systématiques et d'animer un atelier d'expression manuelle en utilisant le dessin et les tissus.

Le mercredi, je prends la route pour Capbreton. Le week-end, mon mari et moi allons chercher les enfants pour les ramener, joyeux, à la maison.

Mais le rapport du centre régional de Bordeaux est arrivé à Capbreton. L'équipe médicale confronte ses inquiétudes avec celles de l'équipe de l'hôpital de Dax. Le mauvais état de santé de Fabrice les décide à demander un avis au Service spécialisé d'immunologie-hémato à l'hôpital des Enfants-Malades à Paris.

Fabrice va avoir huit ans.

Ce retour à Paris marque le début de la deuxième tranche de vie de Fabrice. L'armistice de Dax touche à sa fin. Dorénavant, ce service hyper-technique, hyper-spécialisé de l'hôpital des Enfants-Malades va devenir son centre de vie. De survie. Ma marionnette m'échappe. D'autres vont en prendre les fils. Nous, les parents, devrons subir les décisions, les désirs, les expériences, conscients que l'impossible sera tenté, pour aller au plus loin du chemin de cette vie condamnée.

L'hôpital des Enfants-Malades, j'y ai laissé une partie de ma vie. La rue de Sèvres, sillonnée maintes et maintes fois... Les heures d'attente interminables... Les souffrances, les douleurs inscrites sur les murs... Lieu détesté parfois, mais aussi lieu d'espoir où l'on attend le miracle.

Douze ans vont suivre où le chemin de cet hôpital, les gardiens de l'entrée, le baraquement des admissions, les salles d'attente des consultations, le parking des ambulances, enfin le bâtiment de la clinique et le service lui-même vont me devenir plus familiers que mes différents domiciles.

Le jeune professeur de l'époque était sympathique, ouvert, enthousiaste. Notre première entrevue, je m'en souviens parfaitement. Il ne nous a pas caché la complexité de la maladie de Fabrice. Nous avons parlé longuement. Il nous a expliqué le déficit cellulaire qui touche les lymphocytes et les polynucléaires provoquant ces infections à répétition et ce dérèglement de la défense aux microbes.

Avec l'enthousiasme de sa jeunesse, il me propose de créer une Association de parents d'enfants malades pour son service. L'idée me paraît généreuse et utile. Mais je lui signale que j'habite Dax et qu'il ne m'est pas possible de donner immédiatement suite.

Cette idée, en douze ans, ne reviendra jamais à la surface. Ce sera la première et la dernière fois qu'elle nous sera suggérée. A cette époque, on parlait facilement au chef de service qui prenait du temps pour vous écouter. Plus tard, il y eut beaucoup de changements et l'attention ne fut plus la même. Je pense que les parents auraient été gagnants dans l'entreprise. Leurs suggestions auraient sûrement aidé à combattre leur sentiment d'abandon.

La maladie de Fabrice préoccupe le service et nous repartons à Dax avec un plan d'étude qui nous obligera à revenir fréquemment à Paris, pour des examens et des consultations. Le professeur G. nous a prévenus que les tentatives thérapeutiques n'apporteront pas une amélioration miraculeuse mais qu'elles auront l'avantage de pouvoir s'effectuer chez nous.

Fabrice retourne à Capbreton avec un traitement de

choc. Le nombre de comprimés effare même le service médical. A la longue, c'est une lourde contrainte associée aux soins, aux douloureuses piqûres de gammaglobulines...

En cette année 1978, Fabrice va multiplier les infections et j'ai du mal à concilier mon travail, heureusement à mi-temps, les consultations à Paris avec les sept cents kilomètres de train ou d'ambulance, et les hospitalisations. La maison tourne quand même. On y reçoit, on s'y amuse. Christophe a des amis.

En février 1978, le centre m'appelle. Une ambulance doit transférer Fabrice d'urgence à l'hôpital de Dax. Malgré l'énergie farouche du médecin et de l'infirmière, un vilain abcès à la fesse s'est transformé en anthrax. Un autre est apparu sous l'aisselle. Je pars à Capbreton. Christophe est dans la cour.

– Maman, en revenant du C.E.G., quand j'ai entendu la sirène d'une ambulance, j'ai tout de suite su que c'était pour mon frère!

Ce « mon frère », c'est l'expression d'une harmonie indissociable entre eux deux, de l'amour particulier qui lie ces deux enfants au destin marginal.

A l'hôpital de Dax, on juge son état général si inquiétant que Fabrice est aussitôt transféré vers le service d'immunologie de Paris. Assise à côté de lui dans l'ambulance, je partage, une fois de plus, sa souffrance. Il a tellement mal qu'on ne sait pas comment l'installer. Dès son arrivée, il sera transféré et opéré en chirurgie.

Maintenant, il a peur. Sa seule sécurité est ma présence à ses côtés. C'est tout ce que je peux lui offrir.

... Puis la vie interrompue reprend son rythme, de Dax à Capbreton.

Pas pour longtemps. La chaleur de l'été dans les Landes est parfois caniculaire. C'est le cas cette année-là. En juillet, nous nous retrouvons avec des amis dans un

parc ombragé où l'on peut jouer au tennis et se baigner
dans la piscine. Fabrice joue à la balle. Le bassin lui est
interdit à cause des risques microbiens. La balle tombe
dans l'eau et Fabrice, délibérément, s'y laisse choir aussi.
Il fait tellement chaud que l'on se réjouit presque de
l'incident. Qui l'en blâmerait? Il rit aux éclats, il
demande qu'on le prenne en photo (je l'ai encore), son
bonheur explose dans le battement de ses bras qui font
gicler des gouttelettes sous le soleil. Nous le laissons jouir
de l'eau, nous partageons sa joie, étonnés que nous
sommes de lui voir découvrir un plaisir, si évident pour
nous. J'en garde l'image merveilleuse de son sourire éclatant, malgré la suite. C'est un souvenir exceptionnel, l'eau
jaillissante, mouillant son visage, sa tête et sa voix :
— Maman, regarde, je fais comme les autres!
Tu ne fais jamais comme les autres. On ne te permet
jamais de faire comme les autres! Le lendemain, la fièvre
monte à quarante. On se tait, on ne veut pas accuser le
bain, et salir ce moment magique d'allégresse. Rapidement son état s'aggrave. Il est hospitalisé à Dax. Il ne se
nourrit plus, un herpès atroce mange ses lèvres. Son poids
chute vertigineusement. Les médecins s'inquiètent des
risques ophtalmologiques et neurologiques. Le diagnostic
est tombé : c'est une primo-infection herpétique grave.
Une fois de plus, la décision est prise de le transférer en
ambulance à l'hôpital des Enfants-Malades à Paris.

Je pars, ma main dans la sienne sur le chemin de
la douleur sans fin. Sur la route, nous croisons la voiture de mon mari; les médecins n'ont pas voulu
attendre son arrivée à l'hôpital car les heures comptent.
Nous sommes une famille coupée en deux, mais comment faire autrement?

Je dis à Christophe que je l'aime autant que son
frère, je crois le lui montrer quand les accalmies permettent nos retrouvailles. Nous sommes, avec mon mari,

comme des alpinistes perdus dans une escalade, il faut toujours grimper, récupérer vite, ne jamais reculer, viser un sommet que l'on ne voit jamais. Pas d'autre choix, sinon celui d'ouvrir les bras et de se laisser chuter. Vers le fond.

V

Neufchâteau-en-Brie,
février 1979 – mai 1979
Nanterre, mai 1979 – octobre 1982

En octobre 1978, malgré des vacances reposantes et gaies à Kercabellec, Fabrice n'a pas récupéré. La rentrée s'annonce épineuse. Nous reprenons le chemin de la rue de Sèvres pour une hospitalisation d'un mois. Il n'est pas possible de continuer indéfiniment ces allées et venues en ambulance entre Dax et Paris. L'urgence de ces départs déséquilibre l'unité familiale. Personne ne se plaint, ni mon mari, ni Christophe. Mais les regards, quand nous partons, cachent un désarroi et un fatalisme souvent insupportables. C'est une vie familiale difficile à vivre pour tous.

Nous avons maintenant entre les mains un compte rendu détaillé des défaillances multiples de l'organisme de Fabrice. Un nom est porté sur cette terrible maladie : « Syndrome de Buckley ». Il faut nous rendre à l'évidence : l'essai de cure climatique pour améliorer son état ne pouvait rien donner. La description du mal, un cas rare et compliqué, confirme l'incapacité des hôpitaux provinciaux à assumer la prise en charge. Seule une poignée de spécialistes, à Paris, connaissent l'existence de cette maladie exceptionnelle. La débâcle énigmatique du système immunitaire est bien décrite. Nous n'avons plus d'illusions à nous faire. Le meurtrier se cache dans le patrimoine génétique. Fabrice est condamné.

En novembre, nous sommes rappelés à l'hôpital des

Enfants-Malades. Je donne ma démission de mon travail car je ne peux assurer mes charges professionnelles correctement.

En février 1979, nouvelle hospitalisation d'urgence dans le service d'immunologie pour une surinfection grave. A neuf ans et demi, Fabrice mesure 1,22 mètre et pèse 24 kilos. Ses yeux, ses lèvres, ses oreilles sont fissurés et ses ulcérations entre les jambes lui font mal et le révoltent. Il commence à penser qu'il ne guérira jamais.

Le professeur nous reçoit longuement. Il réfléchit beaucoup avec son équipe pour prendre une décision lourde de conséquences mais nécessaire. Fabrice sera orienté vers un centre médical de la région parisienne. Le service social de l'unité d'immunologie organise l'admission, après nous avoir proposé d'aller visiter l'établissement.

Cette admission au Centre médical des lycéens nous a pris de court, même si nous étions inconsciemment préparés à une décision semblable.

Notre vie était à Dax. Il va falloir l'orienter autrement pour ne pas séparer Fabrice de sa cellule familiale.

Fabrice est admis « aux Lycéens » en mars 1979; il y restera quatre mois seulement. Quatre mois pendant lesquels il fera la découverte de son identité et de sa personnalité.

Le centre de cure est installé sur un domaine de 35 hectares aux environs de Paris. Dans le parc, un petit château reçoit les jeunes malades, peu nombreux à cette époque. Des bâtiments modernes et fonctionnels sont équipés pour les grands handicapés physiques. La scolarité est assurée par des professeurs de l'enseignement public.

Le cadre surprend agréablement. Les installations font penser à un club de vacances; les possibilités de distractions sont nombreuses : cercles de photo, de théâtre,

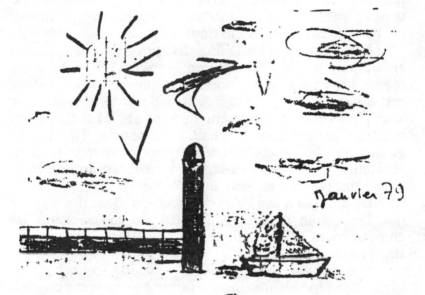

Dessin de Fabrice: souvenir de Kercabellec

atelier de menuiserie et de modélisme. Cette dernière activité passionnera Fabrice.

Pour les petits, l'école est très active et le travail collectif s'effectue par petits groupes dans les ateliers. Fabrice s'y plaira beaucoup. Cette pédagogie active lui permet de travailler en jouant. Émouvant de lire son bulletin scolaire : « Fabrice est très astucieux, il a toujours de bonnes idées. Très bonne participation, attentif, désireux de bien faire. Mes félicitations. »

Une équipe médicale importante vit sur place, soigne et fait la liaison avec les différents services hospitaliers. La rééducation motrice est une discipline primordiale dans cet ensemble. La piscine, un lieu de prédilection et de soins. Mais elle est radicalement interdite à Fabrice. Il en souffre. La jouissance de l'eau, il l'a apprise dans la baignoire où il fait des plongées en apnée pour se prouver sa résistance. Mais cette eau-là ne contient pas de microbes. Il ne comprend pas bien la différence.

De son plongeon dans la piscine, à Dax, il n'a gardé que l'explosion de joie. Il a écarté de son souvenir les conséquences tragiques de ce bain. Il veut revivre ce plaisir.

Son passage aux Lycéens provoque chez lui une vague d'indépendance. Besoin farouche, pour continuer à vivre, de nier sa maladie. Handicapé parmi les handicapés, il réalisait qu'une infirmité n'interdit pas toutes les libertés.

Fabrice découvrait d'autres enfants qui souffraient comme lui. Il voyait des corps plus meurtris que le sien. Certes il était malade, mais il possédait des membres intacts, et pouvait s'en servir. A son admission, il était le plus jeune et devint la « mascotte » des grands. Il se sentait protégé, aimé d'eux. Il leur rendait des services et s'approchait des plus mutilés. Il retrouvait son identité, sa valeur.

La première fois que nous l'avons eu au téléphone, il nous a dit :

histoire du petit garçon

Il était un pauvre petit garçon il était maleureux.
il était tout seul mais il vivait avec son papa et sa mama
il avait beaucoup de cadeaux... il avait une moto
c'était son cadeaux préféré il sa ple Mihel

La Mamm Faire 73.

– Ça va mieux. J'ai deux copains. Un grand qui n'a presque pas de bras. Et puis, une amie fille au château. Je suis content car je suis passé en C.M. 2, parce qu'il n'y a pas de C.M. 1! Maman, je ne pense pas trop à toi. Mais toi, est-ce que tu m'oublies? Téléphone-moi souvent. Le soir, c'est dur de se coucher, sans toi pas loin. »

Notre première visite avec mon mari aux Lycéens nous a laissé le souffle coupé. Nous attendions Fabrice dehors car on nous avait dit qu'il était parti se promener avec un ami. Soudain, un fauteuil roulant électrique perfectionné, où se tenait un jeune homme sans bras ni jambes, arriva sur nous. Juché derrière le fauteuil, fier, le sourire aux lèvres, notre fils se dressait, droit comme un I.

Comme je lui demandais plus tard si le spectacle de son ami ne l'impressionnait pas, il me répondit : « Mais lui, il s'en fiche. Il est marrant. On est bien ensemble, et puis il a le fauteuil roulant le plus moderne de tous! »

En fait, il nous donnait une leçon d'humilité. Il n'était pas tout à fait comme nous. Son regard sur les autres était différent. Les infirmes, pour lui, étaient ses frères réels. Sa marginalité s'estompait à leur contact et il était à l'aise avec eux. Il pouvait leur parler de ses misères. Ceux-là ne jetteraient pas un œil curieux ou dégoûté sur ses plaies apparentes, sur sa petite taille. Il les aimait et savait se faire aimer d'eux.

Ce qu'il craint, c'est, du côté des adultes, une modification apportée à ses soins, ou une nouvelle équipe médicale. Le regard de l'infirmière ou du médecin qui connaît à l'avance son corps abîmé le rassure. Les inconnus le paniquent. Il a peur de ne pas retrouver chez eux les gestes sûrs, indispensables pour un peu de bien-être. Il a peur de souffrir.

Fabrice vit aux Lycéens. La distance entre Paris et Dax complique sérieusement les visites. Pour cette fin d'année scolaire je compte sur ma famille pour aller le voir les week-ends où nous ne pourrons pas nous déplacer.

Notre organisation familiale est à revoir. Nous savons qu'un enfant de dix ans, séparé de sa famille, regressera psychologiquement si nous ne créons pas autour de lui un climat chaleureux.

Nous avons expliqué à Fabrice qu'il vivait une période de transition et qu'il n'était pas question de l'abandonner dans la région parisienne.

Pendant que nous étudions les modalités et les possibilités d'un retour, Fabrice « s'émancipe ». Aux Lycéens, le règlement est souple et laisse aux jeunes un maximum de responsabilités et beaucoup de liberté. La surveillance de Fabrice n'est pas très différente de celle des autres, mais il n'a pas dix ans!

Il en oublie les règles élémentaires de prudence. Ma sœur Véronique venue le voir ne le trouve pas! Il est parti acheter des cigarettes et revient en en grillant une!

Il a manqué l'heure des soins... Une autre fois, le téléphone sonne pour lui, personne ne sait où il est. Finalement, on finit par apprendre qu'il s'est inscrit à une grande sortie. Il est parti avec les grands. Au programme, la visite du musée du tabac, puis couscous dans un restaurant et, enfin, soirée au café-théâtre. Il rentrera à minuit, enchanté de son escapade. Mais, ce jour-là, il n'a pas eu ses soins et a certainement dû jeter ses médicaments. C'est au cours de cette sortie, qu'il nous raconta plus tard, qu'un de ses copains avait fugué en fauteuil roulant. C'était pour lui l'aventure.

Son état, bien sûr, ne s'en trouve pas amélioré, mais il est heureux, ou presque. Il s'est mis à fumer et cache ses médicaments dans sa poche. On peut profiter d'une certaine liberté, il en abuse.

Il est trop jeune pour réfléchir aux conséquences de

ses actes. Il suit les grands partout. Malgré une fébricule accompagnée de ganglions qui résiste aux traitements, il va même les accompagner à la piscine. C'est une grosse bêtise, il le sait.

La piscine, lieu magique et tragique pour lui qui voudrait s'y fondre.

Paradoxe de l'obliger à prendre deux bains désinfectants par jour et de lui interdire les retrouvailles de l'eau où l'on « s'éclate ».

Malgré l'interdiction et les explications du professeur qui le soigne, il a bravé l'interdit. Il n'a pas calculé le danger.

Son hospitalisation à l'hôpital des Enfants-Malades avec une importante infection pulmonaire en est le résultat immédiat. L'équipe de soins est amenée à réviser le bien-fondé de son choix porté sur les Lycéens. Elle nous propose un autre centre, plus petit, avec une surveillance moins laxiste.

La maladie a volé à Fabrice les joies de la petite enfance. Constamment surveillé, il n'a pu ni n'a eu l'envie de faire des bêtises. Aux Lycéens, il a essayé de brûler les étapes, de rattraper le temps perdu. Ce ne fut pas une expérience malheureuse, au contraire, ce fut un moment d'épanouissement, un heureux moment de sa vie.

Mon Pinocchio n'a pas été raisonnable, mon Pinocchio va être rappelé à l'ordre. On ne le laissera plus s'amuser, batifoler au pays des grands où il joue avec sa vie. Il a cru un moment que vivre en enfant ordinaire suffirait à le rendre normal.

Mais le marionnettiste, son roi-médecin, le patron qu'il aime, le surveille et tient fermement sa destinée en main. Le nouveau « pays » devra mieux le préserver de ses folies.

Il a fait une incursion dans ce monde organisé desinfirmes et il a apprécié. Adolescent, il rêvera d'une structure similaire où il pourrait se faire soigner le matin et pratiquer une activité professionnelle rémunérée l'après-midi. Mais les lieux d'accueil pour ces originaux de la maladie n'existent pas!

Mon Pinocchio fera sa valise et dira au revoir, la larme à l'œil, à ses amis déformés, ses frères aimés qui, eux, peuvent se mouvoir dans ce domaine créé à leur mesure.

Cette décision de changer Fabrice de centre et de l'ancrer dans la région parisienne va accélérer nos projets de retour. Ce que l'équipe médicale ne soupçonne pas, ce sont les difficultés à organiser notre vie.

Le problème du logement se pose pour Christophe et moi, en attendant le retour de mon mari. Nous sommes dans l'obligation d'avoir une voiture. Il faut prévoir les transports de Fabrice au centre, à l'hôpital et aux consultations multiples. Ses plaies mal placées, suintantes et douloureuses l'empêchent souvent de se mouvoir normalement.

Mon mari doit garder la maison de Dax où il travaille, en attendant une mutation sur Paris qu'il a à nouveau formulée. Grâce à l'aide d'une de mes sœurs qui travaille dans une agence immobilière, nous obtenons un logement modeste, sans confort, sans ascenseur, mais remarquablement situé au centre de Versailles, rue Notre-Dame.

Je m'y installe en octobre 1979 avec Christophe; l'asthme sévère dont il est atteint depuis sa naissance s'améliorera nettement en région parisienne. Comme il n'est pas question d'envisager un déménagement, nous meublons notre appartement du strict minimum. Nous y serons bien. Seule l'installation sanitaire, précaire, nous occasionnera quelques difficultés lorsqu'il s'agira de soigner Fabrice, quand il sera avec nous.

Dans cette succession de chocs, il y a des moments particulièrement difficiles. Je me souviens d'une nuit de mai 1979, après son départ des Lycéens. Une nuit épouvantable, où des cauchemars avaient hanté mon sommeil. J'avais dû finalement me lever pour écrire et chasser ainsi de ma tête les visions horribles qui s'y dessinaient. J'ai gardé ces pages où l'écriture m'a servi d'exutoire.

Fabrice est allongé près de moi et se gratte comme un forcené.

Je veux dormir, tenir le coup et me sentir en forme, pour moi-même et pour lui. Mais j'entends le grattement, le frottement des draps et j'imagine sa peau. Les plaies qui s'agrandissent tandis qu'il dort.

Je vois sa chair en rêve.

Les boutons éclatent. Ce n'est pas vrai, personne ne sait ce qu'il souffre.

A ce moment-là, je pense aux chambres à gaz. C'était horrible, mais pour lui, c'est le repos.

Il est nu, il joue au ballon avec les autres qui sont sains.

Il vit, il va respirer comme les autres. Et moi je suis heureuse de voir qu'il va mourir sans s'en apercevoir, en riant.

Ce sera l'holocauste, l'arrêt de la souffrance.

Ce soir, avant cette nuit où j'entends les mouvements du drap, il y a eu le bain. Le bain qu'il ne veut plus prendre parce qu'il ne veut plus se soigner. Une de ses cousines qui était là pour le distraire a joué à cache-cache et l'a mis dans la baignoire.

Il est recroquevillé, on dirait une grenouille triste. L'eau additionnée de permanganate le brûle, surtout au cou et aux oreilles.

On a ri, comme on rit quand le ton n'y est pas, parce que les plaies sont trop insupportables.

Il est sorti du bain. Il a fallu rincer, sécher vite car l'irritation accentue les démangeaisons qui deviennent alors trop cruelles.

Il a dit : « Quelle maladie !... » et j'ai dit : « Oh ! oui, je sais, quelle vie difficile ! » Fabrice a repris : « Pas une vie, une souffrance. »

« Quand tu seras dans l'autre monde, tu auras une bonne place » lui a répliqué sa cousine en plaisantant.

« J'espère bien », a répondu Fabrice sérieusement, « sinon ce n'est pas la peine de supporter ça ».

Dans ma nuit, je vois Fabrice qui flotte dans l'espace, sans boutons, sans blessure. Heureux, heureux sans rien sur la peau. Je sais que j'ai envie de supprimer sa vie. Déjà ma nuit est longue, à côté de son lit où il ne dort pas comme les autres. Nous, nous avons le sommeil bienheureux et réparateur, la chaleur douce du lit. Lui ? Le grattement affreux des mains qui écorchent.

Ses mains ne peuvent rester tranquilles, sur sa peau à vif. Arrête Fabrice, arrête de te gratter ! Arrête le massacre de ton corps, de ma tête. Je ne peux pas dormir et il me force à penser à ma chambre à gaz des innocents. Alors je me lève, je le secoue tendrement, je lui parle, je remplace l'alèse sale par une neuve, je change la taie d'oreiller déjà tachée, je l'embrasse, je le recouche.

Maintenant, son sommeil est plus calme. Les mains s'arrêtent de bouger pour un court moment. Je l'aime pour tout ce qu'il supporte. J'écris pour m'aider, me soulager.

Je pense à la réflexion du professeur G., il y a quelques mois : « Vous ne pouvez plus le garder chez vous dans cet état; c'est au-dessus de vos forces. »

Il avait raison, je n'ai plus la force.

La double installation de notre famille, mon mari à Dax, nous à Versailles, ces voyages répétés entre les deux villes vont m'obliger à chercher du travail. Nécessité financière, et morale. Les circonstances difficiles que nous traversons rendent les projets à long terme aléatoires.

L'absence d'avenir, pour Fabrice, s'affirme de plus en plus.

La chance apparaît si on a le courage de bousculer un peu la routine. Après quelques démarches effectuées dans les centres culturels, j'obtiens un poste d'animatrice dans un atelier de poterie pour petits enfants. J'avais profité de mon séjour à Dax pour effectuer des stages de terre et j'allais régulièrement m'exercer chez un potier à Saint-Jean-de-Marsac, dans la campagne landaise.

La découverte du Centre du C3M, rue des Missionnaires à Versailles, eut une action providentielle sur le moral de Fabrice, et le mien. Il venait avec moi le mercredi et fut instantanément adopté par tout le monde. L'équipe l'accompagnera jusqu'à sa mort. Il partageait la vie des groupes. Il était le bienvenu aux ateliers. Il affectionnait particulièrement celui de Bernard, le potier, qui s'occupait des plus grands. Il fabriquait des œuvres souvent énormes, des animaux géants, des lions, des éléphants, qu'il offrait à ceux qu'il aimait, ceux de sa famille, amis ou certains professeurs. Parfois, il changeait de groupe, allait faire de la cuisine ou regardait Serge lui expliquer la régie de la salle de spectacle. Cela le faisait rêver, et lui permettait de faire des projets d'avenir. En grandissant, il continuait à être attaché à tous.

Au fil des années, Bernard lui donna quelques responsabilités car il était plus âgé que ceux de son groupe. A la fin de sa vie, même exténué, il allait leur rendre visite. Il savait que tout le monde l'aimait et il avait besoin de ce réconfort.

Si à l'hôpital je me suis battue pour que les perfusions soient posées à l'heure le matin, si nous nous sommes levés aux aurores pour être ponctuels aux rendez-vous, malgré les soins et la longueur du trajet, c'est pour lui garantir ces heures qu'il réclamait au « C3M ». Il oubliait un peu sa maladie et ses contraintes. Je pensais

qu'il avait les mêmes droits que les autres de se distraire.
Quand les perfusions étaient posées trop tard, quand les
consultations n'en finissaient pas de traîner, son visage
s'assombrissait, ses yeux devenaient plus noirs car il savait
qu'il manquerait son rendez-vous. Si nous n'y avions pris
garde pour lui, la plupart de ses heures de liberté auraient
été mangées par la médecine.

Plus tard, dans le Service des Enfants-Malades, une
monitrice de l'école instaura un cours de dessin. Fabrice
se dépêchait, là aussi, d'être « branché » pour aller ensuite
retrouver Marie-Claire et, avec beaucoup d'ardeur, se
mettre à dessiner de la main laissée libre, l'autre étant
immobilisée par la perfusion.

L'un de ses dessins fut encadré et placé dans le
bureau de la surveillante. Il en était content.

– Quand je serai grand, je vendrai mes peintures et je
vivrai avec, comme Bernard (un ami peintre)!

Il était très fier de ses œuvres et les offrait quelquefois à plusieurs personnes à la fois. A cette époque, il
peignait et vendait des galets rapportés de Kercabellec.

Son attachement à Marie-Claire était émouvant et
sincère. Sincère aussi sa joie d'aller chanter avec Jeanne,
qui s'accompagnait à la guitare. Il aimait beaucoup chanter. Dans ces activités, il retrouvait sa joie de vivre.

Après l'immense domaine des Lycéens, Fabrice va
découvrir le centre Lacapère, à Nanterre. Il a été fermé,
depuis. Raconter le centre Lacapère, c'est raconter aussi
notre esclavage au centre hospitalier des Enfants-Malades.

Fabrice, jusqu'à la libération que sera sa mort, va
perdre définitivement son indépendance.

Je dois faire un effort énorme pour clarifier mes
innombrables souvenirs. Quand je retrace les événements
qui ont jalonné notre calvaire, j'ai du mal à ne pas pleurer.
La vérité est dure, et je voudrais n'écrire que la vérité.

A l'hôpital des Enfants-Malades, le service d'immunologie, familial au départ, va devenir, la notoriété et la
technicité aidant, un espace plus anonyme pour les
parents au fil des années. A l'origine, le bureau du patron
était un vestiaire amélioré, la porte restait ouverte et on
s'y rendait facilement. Il suffisait de demander un rendez-
vous par l'intermédiaire de la surveillante.

Le bureau s'est modernisé, ce qui est normal. Un
vaste espace a été conçu pour améliorer le confort de
l'équipe médicale. L'hypertechnicité s'est installée.
Bureaux confortables, salles de réunions. La secrétaire du
patron va remplacer la surveillante pour prendre les rendez-vous. Elle a des ordres qu'elle ne doit pas transgresser.
Au fil des années, voir « le maître » devient un exploit.
Son temps est compté. Médecin du corps, il a oublié l'âme
de ses patients. Or, Fabrice a autant besoin de soins pour
son corps que de soins pour son âme!

Dès l'origine de la prise en charge, Fabrice et nous-
mêmes avons conçu une admiration et un attachement
sans limite pour le professeur G., chef du service d'immunologie. Avec lui, nous avons eu de longues conversations
franches et animées, des échanges privilégiés. Nous
reconnaissons sa compétence et savons qu'il est un des
rares à connaître le mécanisme compliqué de cette maladie exceptionnelle. C'est un homme honnête et il ne nous
cache pas que son pouvoir de guérison est limité. Mais il
est là pour nous aider. La gravité de la maladie de Fabrice
va faire de celui-ci un habitué de ce service d'immunologie pour les enfants.

Pour Fabrice, le professeur G., malgré les autres
intervenants, reste « le maître ». Il en revient toujours là. Il
lui octroie un pouvoir magique. C'est son médecin-roi,
son oracle. Ses paroles sont paroles d'évangile, il le croit,
il l'admire. Il attend de lui la guérison, le salut, l'affection.

Plus tard, il sera pris en charge par Mme D., chef de

clinique responsable de l'hôpital de jour. Une femme remarquable, compétente, mère et médecin. Elle suivra Fabrice jusqu'au bout. Malgré cela, Fabrice n'oubliera pas qu'au sommet de la pyramide siège son idole. Les dernières années, devenu mandarin, on ne pourra plus approcher le professeur. Fabrice se remémorera, avec nostalgie et tristesse, ses discussions animées avec lui quand il était plus jeune.

Ce rejet involontaire, cette impossibilité à communiquer vers le haut, il en souffrira. Dans son esprit, l'éventualité de la greffe de moelle ou d'un tout autre traitement miracle plane et il veut en parler avec « le maître ». Il a conscience de la gravité de sa maladie et refuse de croire à sa condamnation définitive. Il connaît le fonctionnement hiérarchique du service et cette distance peu à peu instituée lui fait mal et le désespère.

Il s'est cru rejeté.

– Maman, si le professeur G. ne veut plus me voir, c'est qu'il ne peut rien pour moi! Je ne guérirai jamais!

Le patron, autrefois abordable, délègue ses pouvoirs sans imaginer la blessure morale qu'il inflige à ses fidèles. Le grand patron est happé par la Science, par la recherche, par sa notoriété, sollicité par les médias, à cause du S.I.D.A. Ses petits malades sont devenus vieux. A quinze ans, on est déjà vieux dans un service de pédiatrie infantile. On doit quitter le service pour rejoindre le camp des adultes. Pour une minorité d'anciens on prolonge la prise en charge. C'est un privilège qui prouve la gravité de la maladie.

Ceux qui, comme Fabrice, se savent atteints de maladie mortelle ne peuvent quitter ce lieu de vie sans dégât moral. Ce service, c'est leur espoir et leur sécurité.

Une anecdote, pour illustrer cet attachement inconscient : malgré sa vivacité d'esprit, Fabrice a toujours eu des difficultés à se situer dans l'espace et dans le temps. Pour le rendre plus autonome et vaincre sa peur, nous faisions parfois des expériences. Souvent, ce qui l'affolait, le terrorisait, c'étaient les réflexions ou les regards appuyés des autres. Une attitude de curiosité ou une brusquerie dans un transport en commun le rendait agressif et apeuré. Généralement alors, il descendait à la station suivante ou attendait le terminus en se faisant tout petit. Il avait peur qu'on l'attaque, peur de sa faiblesse, et honte de son état.

Ce jour-là, il devait aller déjeuner chez ses grands-parents à Paris et prendre le train seul, depuis Versailles. Je le rejoindrais en voiture.

Courageusement, il s'était décidé à tenter l'expérience. Le parcours est inscrit sur un papier et son frère l'accompagne à la gare. Sur le quai, il fend la foule, monte dans le train et arrive sans encombre à la gare Saint-Lazare. De l'esplanade il se dirige vers le métro. Mais la cohue du quai le panique. Il remonte à la surface et cherche une cabine téléphonique. Celle-ci fonctionne avec des cartes et il n'en a pas. Alors, il part à pied. Quand il ose aborder un passant il lui demande le chemin de l'hôpital des Enfants-Malades!

Chez mes parents, nous attendons. Ceux-ci s'étonnent de mon calme car Fabrice aurait dû être là depuis trois heures. Je ne m'inquiète pas car je sais qu'il se débrouillera et qu'il ne fera pas de bêtises.

Le téléphone finit par sonner. C'est Fabrice. Il a été recueilli, épuisé, dans un luxueux magasin de la place Vendôme où il est en train de se restaurer. Il est calme, amusé de l'aventure. Je suis parti le chercher. Après avoir remercié ces commerçants attentionnés, nous sommes montés dans la voiture. Il m'a raconté son exploit.

Je me suis étonnée du réflexe qu'il avait eu de poser cette question aux passants.

– Pourquoi cherchais-tu les Enfants-Malades?

– Mais, maman, si j'avais trouvé les Enfants-Malades, j'étais sauvé. C'est l'endroit que je connais le mieux à Paris, et, là-bas, tout le monde me connaît.

Lors de cette période de placement de Fabrice au centre Lacapère à Nanterre, j'ai pu avoir accès au dossier de mon fils, et certains comptes rendus y figurant m'ont attristée et blessée, parfois.

L'attitude médicale n'est pas toujours honnête.

En neuf années de parcours hospitalier parisien, nous allons voir défiler au rythme des mutations plusieurs assistants, un nombre impressionnant de chefs de clinique, d'internes, d'infirmiers.

Le premier chef de clinique que nous avons connu dans ce service fut particulièrement attentif. Un homme avec un sourire rassurant qui dénotait son expérience. Il est aujourd'hui aux États-Unis. Une relation immédiate de sympathie s'installa et le dialogue s'instaura avec confiance et sérénité. Il n'était pas difficile de lui raconter notre odyssée familiale à épisodes. Il me proposa même de prendre Fabrice chez lui un week-end pour que je puisse me reposer. C'était l'époque où j'étais seule à Versailles avec Christophe. En souriant malicieusement, il me dit : « Je saurai bien lui faire les soins. » Il nous aidera beaucoup, par des certificats médicaux détaillés, à appuyer la demande de mutation de mon mari. Avec lui, les choses compliquées devenaient simples.

A l'opposé, un autre médecin, à qui je faisais confiance pour sa compétence et sa gentillesse, écrivait au directeur du centre Lacapère qui ne nous connaissait pas encore : « Si quarante-huit heures dans le milieu familial risquent d'avoir des conséquences sur le plan dermatologique, il faudrait être moins permissif... »

Dans cette lutte pour la vie où chacun est concerné, l'hypocrisie est détestable. Il faut savoir s'expliquer avec les intéressés eux-mêmes. A cet époque, je croyais que mon apprentissage forcé et l'amour géant que je portais à Fabrice suffisaient à écarter les soupçons. En plus des autres douleurs, il faut avaler cette suspicion qui fait mal.

Les soupçons peuvent s'appuyer sur un malentendu ou sur une animosité de personnes. Dans le service pratiquait un médecin femme à l'allure particulièrement masculine. Fabrice avait eu cette phrase malheureuse à son égard :

– Vous êtes un homme ou une femme ?

C'était une sorte de cheftaine à l'air bougon. Elle n'aimait pas beaucoup Fabrice qui lui tenait tête tout en craignant sa rudesse.

L'heure de la piqûre pour brancher la perfusion était souvent dramatique. Fabrice appelait Marie, une vieille infirmière au doigté et à la patience miraculeux. Mais parfois, il fallait accepter des nouvelles ou des moins douées. Les veines de Fabrice étaient sclérosées, douloureuses, difficiles à amadouer. De plus, il était de plus en plus angoissé. Il avait établi un code avec moi qui le rassurait :

– Maman, si elles n'arrivent pas à me brancher au bout de la troisième fois, tu viens et tu leur dis d'arrêter.

Une séance fut particulièrement pénible. Il hurlait et trois infirmières avaient essayé sans succès de placer correctement l'aiguille. Les veines étaient abîmées, depuis si longtemps qu'on les martyrisait! De plus, la maladie de peau fragilise l'épiderme et exacerbe la douleur.

Il s'est jeté dans mes bras, en larmes :

– Elles sont trois à avoir essayé, elles ont pas pu. Tu m'avais promis de dire quelque chose pour qu'il n'y en ait pas quatre.

J'avais promis, il fallait que je garde sa confiance et, de toute manière, il avait besoin d'un répit.

Les hurlements avaient ameuté ce médecin. Elle voulut prendre Fabrice de force et essayer elle-même de le piquer. Fabrice lui expliquait en pleurant que ce n'était pas possible.

Gênée, mais ferme, je lui expliquai notre contrat et lui dis qu'on ne le charcuterait pas une quatrième fois ce matin. Elle finit par accepter mais j'aurais préféré éviter l'affrontement. Nous aurions dû prendre le temps de nous parler.

Plus tard, je lus dans le dossier cette phrase apparemment anodine... « Les signes cutanés se sont aggravés pendant son séjour en milieu familial. » J'étais scandalisée, déçue, amère. J'aurais pu apporter des témoignages édifiants, des aveux à peine camouflés d'impuissance de médecins honnêtes :

« Je t'envoie un cas particulièrement compliqué... »

« La Faculté ne peut pas grand-chose pour votre fils. »

« Dans les eczémas résistants, on est obligé parfois d'utiliser la corticothérapie par voie générale... »

etc. etc.

A l'hôpital Saint-Louis où nous étions passés, on avait reconnu la gravité de la maladie de peau de Fabrice et l'extrême difficulté d'en maîtriser les poussées.

Les médecins sont des hommes ordinaires. Chez eux aussi la hiérarchie existe. En face, la famille du malade est sans identité propre. Le déséquilibre entre les deux parties est flagrant. La famille ne sait pas se défendre face à un corps médical dont elle a trop besoin, dans lequel elle place toute son espérance. Et certains médecins ne sont pas plus indulgents avec les familles qu'avec les confrères. Grave, très grave est leur comportement, quand ils cataloguent, quand ils jugent sans preuve, quand ils interprètent des faits au gré de leurs états d'âme. De la calomnie, il reste toujours quelque chose.

Autoportrait. Fabrice souffre, à l'hôpital, d'être un « sujet d'études ». Le corps médical, avec les enfants et les adolescents, lorsqu'il ne les traite qu'en « patients » manque parfois de délicatesse.

Autre autoportrait. Fabrice, dans sa souffrance,
supporte mal les directives des médecins et infirmières.

Le dossier médical est un livre qui passe de mains en mains. D'habitude, la famille n'a pas le droit de le consulter, ce qui est anormal. Ce qui est écrit reste. Jusqu'au bout de la vie de Fabrice, à cause de certaines phrases médisantes, nous avons été suspectés par des gens qui ne nous connaissaient pas. Force est de reconnaître que le dossier de Fabrice était si lourd que chacun pouvait s'y perdre. Il fallait du courage pour le lire de bout en bout et se faire une opinion objective. Combien l'ont fait ? A cette période, j'ai commencé à regretter qu'il n'y ait pas de psychologue ou de psychothérapeute au service des familles. J'aurais voulu des réunions où la vérité serait apparue. Nous avions besoin de reprendre confiance. Au lieu de cela nous étions culpabilisés. Et parfois, nous avions l'impression d'être trahis ! Notre parcours antérieur, sur dix ans, était jalonné de notre bonne volonté, de la somme des efforts accomplis, considérables !

Je me rendais compte que j'aurais dû tenir un livre de bord, y faire signer nos défenseurs, des sommités médicales qui auraient témoigné de la valeur de nos démarches et de nos soins. J'avais en tête des noms de pédiatres, de spécialistes en tout genre, de médecins de cure. Beaucoup de témoignages en dix ans, pour prouver notre bonne foi et le désir inouï de sauver notre fils, de le garder en vie malgré ces « fichus soins », ces traitements affolants qui nous ont tant écartés de la vie normale.

A partir de ce moment-là, j'ai gardé précieusement mes documents et obligé ma mémoire à fonctionner juste pour que notre expérience face à l'institution médicale puisse servir aux autres et que les erreurs ne se renouvellent pas.

Certes, nous avons eu les défauts des parents d'enfants malades, gens inquiets, meurtris, maladroits. Mais les sacrifices de la lutte journalière, c'est nous qui les faisions et cela ne se voit pas forcément.

Heureusement le pédiatre qui dirigeait l'établissement de Nanterre n'eut pas l'air de trop se laisser influen-
cer ou impressionner par les mises en garde qui pouvaient
figurer au dossier. Je lui en sus gré. La présence de
Fabrice au centre témoignait de la gravité de son état. On
pouvait remarquer que les crises, les améliorations, les
aggravations subites étaient fluctuantes et inscrites dans la
maladie. Les soins bien effectués n'empêchaient pas les
hospitalisations. Ce témoignage en est la preuve.

En juillet 1980, Fabrice a douze ans. Il y a un mois, il
a été hospitalisé avec des plaies énormes. Toujours au
même endroit : la raie des fesses à vif, des crevasses
affreuses sur les bourses, les cuisses comme brûlées. Il est
resté trois semaines à l'hôpital avant de réintégrer le
centre de Nanterre. Mais j'ai peur car, entre ses jambes,
une fissure suintante demeure et je sais que le mal risque
de se propager.

Je pars huit jours me reposer et essayer d'enlever de
ma tête le spectre de ces plaies qui m'empêche de dormir
et me poursuit dans mes cauchemars.

Au retour, on me dit que Fabrice a passé un bon
week-end. Son père était venu de Dax pour s'en occuper
et, malgré la pluie battante, ils étaient allés au Jardin
d'acclimatation. C'est un endroit que Fabrice affectionne
particulièrement. Le samedi suivant, je viens le chercher
au centre et trouve un enfant meurtri. Il marche courbé
en avant, à tout petits pas. Son visage grimace de douleur
par moments. Le soir, la séance des soins me révèle son
état. La raie des fesses est comme brûlée sur les bords et
en se rapprochant de la fente, on découvre des cratères
importants.

La peau des bourses est entamée et en dessous un
énorme escarre apparaît. Le spectacle est affligeant et
douloureux. Fabrice est figé dans sa douleur. On ne sait
que lui dire.

Comment allons-nous faire pour lui remonter le moral en attendant la consultation de mercredi? Finalement, nous arrivons à avoir un rendez-vous avec un jour d'avance avec le professeur S., dermatologue, qui demande si une place ne serait pas disponible dans le service du professeur G. où Fabrice est hospitalisé d'habitude en immunologie.

Fabrice retrouve sa chambre de l'hôpital. Soulagé.

L'après-midi, le médecin passe le voir. Il soulève le drap et regarde les plaies :

– Oh! la la! dit-il simplement en recouvrant immédiatement Fabrice. Nous allons nous occuper de toi. Il faut nettoyer cela de toute urgence et les séances de soins vont commencer tout de suite.

Les soins sont affreux. Ange, une infirmière martiniquaise que nous connaissons bien, est heureusement là. Elle porte bien son prénom. Elle connaît Fabrice, elle sait qu'elle va passer un sale quart d'heure, car elle va lui faire très mal. Elle est parée mais moi, je ne suis pas suffisamment blindée.

Ange est toute de sang-froid et de gentillesse. Elle aime bien Fabrice, qui lui rend son affection, une fois l'orage passé.

Fabrice hurle et sanglote. Le Valium rectal qu'on lui a administré une demi-heure avant l'avait un peu endormi, les soins le réveillent. Il pleure, il hurle.

– Papa, sors de la chambre! J'en ai marre de faire pleurer mes parents! Je vais me tuer. Ça fait longtemps que je le dis, mais quand j'aurai quatorze ans, je le ferai.

Je ne lui en veux pas. Je le comprends mais j'interviens quand même :

– Mon chéri, que ferons-nous sans toi? Tu nous manquerais. Ne dis pas de bêtises.

– Tu iras à mon enterrement et tu resteras avec Christophe. Comme ça, tu ne m'entendras plus hurler. Je me tuerai, maman, je me tuerai. Je sais que je ne guérirai jamais.

Il sanglote, des mots entrecoupés de larmes....

— Tu verras quand nous serons arrivés à Kercabellec, les plaies recommenceront...

Je suis obligée de sortir de la chambre car les sanglots montent en moi et rien ne peut les retenir. J'ai entendu Fabrice qui m'appelait :

— Maman, pardon de te faire pleurer, pardon...

Je suis allée m'asseoir dans le couloir. L'air me manquait. J'ai pleuré comme un enfant sans pouvoir m'arrêter.

Après, je me suis sentie mieux. Je suis retournée dans le service. J'ai retrouvé Fabrice qui parlait normalement avec Ange. Un de nos amis qui aime beaucoup notre fils était là. Il avait réussi à le faire rire en jouant avec lui.

A l'écart, certaines infirmières me demandent pourquoi il est arrivé dans cet état-là ? Pourquoi n'a-t-on rien fait pour enrayer cette poussée avant ? Est-ce qu'au centre ils ne se sont pas rendu compte de son état, de sa souffrance ?

Pourquoi ne pas l'avoir hospitalisé plus tôt ?

Je ne comprends, je ne sais pas. Au centre, on s'occupe bien de lui, mais Fabrice n'est pas tout seul. Et le mal, chez lui, peut s'accroître à une vitesse vertigineuse. Habituellement, je devine l'aggravation de son état, je la ressens avant tout le monde.

Des signes précis existent. Fabrice plus fatigué. Fabrice qui se met à dormir de plus en plus. Les draps et les alèses souillés plus largement. C'est le signal d'alarme. Il faut alors l'hospitaliser avant que les souffrances ne soient trop insupportables.

Ses cris, ce jour-là, je m'en souviens encore :

— Criminels, chiés, salope! a-t-il hurlé à sa « biquette », comme il l'appelait. Et d'ajouter, à mon adresse : Je veux mourir, je ne guérirai jamais! Je le sais, maman !

« *Le grand Rodolphe* »,
l'aide-soignant que Fabrice aimait bien.

Il s'est saisi de la ceinture de son pantalon et se l'est passée autour du cou en me regardant.

– Je veux m'étrangler, me suicider...

Le soir, avec mon mari, nous sommes rentrés chez nous assommés par tout ce que nous avions vécu et entendu. Fabrice était au sommet de sa révolte. Qui, de lui ou de nous, avait raison ? Lui de vouloir mourir, nous de vouloir le garder, malgré sa souffrance ? Nous étions incapables de parler, d'échanger nos pensées sans nous faire encore plus mal. Nous sommes restés chacun muré dans sa solitude, à nous reposer silencieusement des questions auxquelles nous étions incapables de répondre.

Extrait du journal de Fabrice : *Aujourd'hui j'ai souffert le martyre. On a commencé à me piquer à partir de 9 heures du matin jusqu'à 2 heures de l'après-midi. Mes veines claquaient souvent. Marie-Paule essaye trente-six fois et abandonne. J'avais envie que mon frère vienne. Il aurait été policier, j'aurais dit à mon frère de tuer toutes les infirmières et tous les infirmiers, sauf le grand Rodolphe, l'aide, parce qu'il ne me fait pas de misère.*

Mme le docteur P. prenait le temps de nous écouter. Elle avait pris le temps d'étudier les dix années du passé de Fabrice. La fatalité de son état ne lui échappait pas. Je pense qu'elle nous a fait confiance.

Le Centre Lacapère, à Nanterre, c'est une moyenne bâtisse familiale, pouvant accueillir une trentaine d'enfants âgés de cinq à dix-huit ans, un bâtiment moderne sans âme avec un jardin entouré de murs. Des installations sommaires, un confort précaire.

Le deuxième et dernier étage est consacré à l'école.

L'infirmerie et la salle de bains sont installés au rez-

de-chaussée. Fabrice en deviendra l'utilisateur privilégié!
Les chambres étant situées au premier, il lui faudra descendre matin et soir, et devenir dépendant de la préposée
aux soins. Il aimait bien cette gentille infirmière qui devra
subir et supporter les sautes d'humeur de ce «jeune
homme» plus ou moins révolté de ce corps qui ne veut
pas guérir et qui lui fait honte. Au sous-sol, se trouvait
une pièce servant d'atelier à l'ergothérapeute.

Je revois comme dans un film ces visages d'enfants
du centre Lacapère. Dans ce paysage morne de souffrance silencieuse et d'isolement se détachent les portraits
de ceux dont Fabrice partage l'amitié.

Jean-Maurice, le grand Noir antillais, apathique,
nonchalant, anémié, mais heureux. Son grand sourire
découvre ses dents blanches; Fabrice apprécie sa carrure
et sa sérénité. On le secoue, il garde son flegme. Élevé par
une nourrice, il a un frère et une sœur qui seront adoptés
par cette femme de cœur.

Tomani, le minuscule Malien, vif, agile, drôle. Il n'a
pas l'air de souffrir de son emprisonnement car il sait
qu'il repartira bientôt dans son pays.

Il y a la petite Asiatique Lada, fine, effacée, coura-
geuse et volontaire dans son fauteuil roulant. Elle vient
du Cambodge. Terrassée par la maladie, elle est arrivée
en France cassée, abîmée. Elle remonte la pente de la vie
avec des yeux éclatants et une volonté de fer. Fabrice l'a
remarquée. Il apprécie son sourire et le courage qu'elle a
d'accepter son handicap. Pour lui, ne pas pouvoir marcher est une lourde entrave. Ils se retrouvent souvent
ensemble à regarder les autres jouer dehors.

Dominique, plus ou moins abandonné de sa famille
bretonne.

Et Mohamed, le douloureux, aux yeux éteints et
absents. Il a traversé la mer et laissé sa famille pour soigner son cancer... il y a laissé sa joie. Sa perruque lui va

mal, il ne se reconnaît plus. Il est marqué, épuisé, il n'a plus faim. Fabrice aime bien être avec lui car il est calme. Il lui fait pitié parce qu'il est seul.

Quand cela est possible, Fabrice tient à inviter ses camarades à la maison. C'est le besoin de ne pas séparer les deux pôles de sa vie, de partager sa famille avec ceux qui n'en ont pas. Il aime la compagnie et s'amuse mieux en groupe.

Le personnel est très proche des enfants et sa tâche est difficile. On essaie au maximum de les égayer. Les fêtes, les anniversaires, toutes les occasions sont bonnes pour organiser des réjouissances.

Mlle G.C. tient une place importante dans la vie des enfants; elle cumule le rôle d'ergothérapeute et de monitrice. Fabrice l'aime beaucoup. Quand il descend au sous-sol dans son atelier, il y retrouve souvent Lada, la petite Cambodgienne. Mlle G.C. a un faible pour Fabrice et Lada. Ils sont très démunis et souffrants et elle sait les consoler et les réconforter de sa douceur et de sa compréhension. Les heures passées avec elle sont des moments de bonne humeur, de détente et de récréation. A son contact, Fabrice développe ses goûts artistiques : poterie, tissage, peinture. Avec Lada, ils réussissent à fabriquer de magnifiques jeux d'échecs dont il faut poncer le plateau, mouler et peindre les pièces.

Des amis tombèrent en admiration devant celui que Fabrice nous avait offert et l'un deux passa commande! Fabrice en était très fier!

En cette année d'installation précaire, nous naviguons entre le centre de Nanterre, l'hôpital des Enfants-Malades et Versailles. J'ai trouvé un emploi à temps partiel dans une maison d'édition qui me laisse une grande liberté dans l'organisation de mes horaires de travail. La représentation est un métier nouveau pour moi.

Travail, ateliers, regard tendre et attentif sur Christophe qui ne doit pas être mis de côté, promenades de Fabrice en fauteuil roulant dans le parc de Versailles quand les ulcérations sont trop douloureuses, médication à outrance, c'est la trame de notre vie d'alors.

Mon mari essaie de nous rejoindre tous les quinze jours. Il nous retrouve avec joie mais je sens qu'il est accablé par cette séparation. L'état de santé de son fils et le fait qu'il ne puisse rien faire pour l'aider le font doublement souffrir.

Personne n'est responsable de rien, sinon cette horrible maladie génétique qui a frappé un innocent. Chacun doit se battre pour ne pas sombrer dans le découragement. On se dit que des jours meilleurs viendront.

Une nouvelle inquiétude se superpose bientôt au bilan médical déjà impressionnant de Fabrice. Depuis un an, sa courbe de croissance stagne. Nous avons déjà remarqué comme les enfants sont petits dans le service d'immunologie. J'ai peur qu'il reste nain en plus de ses autres infirmités. Le corps médical surveille de près ce ralentissement et nous demande, une fois encore, d'aller consulter un maître de cette spécialité.

Un nouveau personnage s'ajoute à notre collection de notables. Une hospitalisation pour un bilan est décidée. L'attente des résultats est angoissante. C'est une épreuve redoutable. Il faut calmer sa propre inquiétude et répondre aux yeux implorants du fils qui veut être rassuré, qui veut grandir à tout prix pour être comme les autres.

Fabrice a très bien compris pourquoi on l'examine une fois de plus. Il est décidé à tenter sa chance si un traitement est possible. Il y met pourtant une restriction :

— Maman, si le traitement c'est des piqûres, je ne sais pas si j'accepterai!

De plus en plus, la vue de la seringue le rend malade à l'avance et cet acte, banal pour certains, devient pour lui une montagne à franchir.

Encore une fois, je me dis que Dieu veut vraiment l'éprouver sur tous les plans. Je recule un peu plus dans mes croyances, ma foi chancelle.

Heureusement, le bilan établi à la suite de cette hospitalisation laisse un espoir. Le retard est évident mais il y a une possibilité de rattrapage du mécanisme de croissance. L'arrêt de certains médicaments, un traitement spécifique par voie orale auront raison à la longue de ce disfonctionnement. Mais, pour cela, un suivi est nécessaire dans le service. Un nom supplémentaire d'assistante s'inscrit dans notre calendrier de consultations multiples. Cette jeune femme saura encourager Fabrice et lui faire accepter cette nouvelle contrainte.

Malgré la lenteur des résultats, la courbe de croissance va s'élever. Fabrice sera petit mais ne sera pas nain. Sa joie, quand je lui propose de rallonger ses pantalons, est une fleur dans mon jardin. A la fin de sa vie, il atteindra 1,60 mètre.

Fabrice, à Nanterre, trouve le temps long.

Il en a « ras le bol » des soins, du régime, des médicaments dont on doit faire des mixtures qui soulèvent le cœur. Il a une antibiothérapie à demeure. La corvée de cette prise de remèdes trois fois par jour se complique du fait qu'il est incapable d'avaler les comprimés. On s'apercevra tardivement qu'il a un important rétrécissement de l'œsophage.

Il veut revenir à la maison et aller en classe avec des enfants « normaux ». Il veut profiter de son frère, revoir son père, vivre en famille.

Une année de famille éclatée où l'on se demande où va la vie...

Extrait du journal de Fabrice : *C'est pas marrant la vie si c'est pour mourir. J'y pense, à la mort. J'ai peur de la mort parce que je ne sais pas comment ça va se passer. C'est comme Lada qui m'a dit qu'elle avait vu un monsieur mort.*

On l'a mis dans un cercueil et après il est allé en enfer. Si on
ne croit pas, on va en enfer. Moi je ne préfère pas mourir. La
vie est pas belle, il y a la guerre, les blessés, la souffrance. La
vie belle, c'est le jardin d'acclimatation, le cirque, le cinéma,
la télévision, et maman. J'aime qu'on vienne me voir papa
et Christophhe.

En septembre 1980 mon mari revient sur Paris. La
société qui l'emploie est restée sourde à sa demande de
mutation, un an auparavant. Mais l'opportunité d'une
permutation avec un collègue désirant partir en province
s'est présentée. Il lui faut, une fois de plus, recommencer
à zéro.

Ma sœur nous trouvera un grand appartement original et confortable au Chesnay. Les garçons auront chacun
leur chambre et un immense grenier fera office de salle
de jeux. Fabrice supporte de plus en plus mal son éloignement. Il a retrouvé son père et voudrait le voir plus
souvent. Notre installation et le regroupement familial
devraient nous permettre d'envisager de le reprendre avec
nous.

Ce samedi-là, il était arrivé à la maison ravi de nous
annoncer qu'il était invité à déjeuner avec moi le week-
end prochain chez la nourrice de son ami antillais.
Celle-ci tenait à nous remercier d'avoir invité Jean-
Maurice et voulait faire notre connaissance.

Mais le mercredi, il m'appelle de Nanterre, inquiet :
« Maman, je tremble, je ne tiens plus mon stylo et la maîtresse dit que je le fais exprès. C'est pareil à table. On ne
veut pas me croire. » Après l'avoir rassuré, je raccroche,
perplexe. Je connais Fabrice. C'est un râleur, mais il n'est
pas du genre à affabuler ni à s'inventer des maux imagi-
naires. La somme des siens lui suffit amplement.

Un peu inquiète, j'essaie de joindre le médecin dont je sais la conscience professionnelle. Je lui fais part de mes craintes mais elle me dit ne rien déceler de très suspect pour le moment.

Le samedi arrive. Je suis au centre de bonne heure car nous avons de la route à faire. La nourrice de Jean-Maurice habite à la campagne. Le temps est beau.

Debout dans l'entrée, ses affaires à ses pieds, l'air malheureux, mon fils m'attend déjà. D'habitude, il est joyeux. Je ne dis rien et l'embrasse. Comme chaque fois qu'une intuition m'avertit d'un danger, j'ai envie de le serrer dans mes bras un peu plus fort que d'habitude :

– Maman, dans ton ventre, c'est le seul endroit où j'étais bien !... Maman, je tremble et je ne fais pas exprès.

Dans cette vie partagée de souffrance et de confiance mutuelle, je le crois. Plusieurs fois j'ai été la première à déceler une faille bien avant le corps médical. L'amour maternel décuple l'intuition. L'organisme de Fabrice est si fragile que l'on ne peut tout explorer à la fois. C'est ainsi que l'on a mis, parfois, sur le compte du psychisme des anomalies découvertes tardivement.

Le soleil brille plus fort. Nous avons pris la route. Je pense à l'herbe verte et aux arbres de la campagne. Je parle de Jean-Maurice que nous allons retrouver. En même temps, je mets ma main délicatement sur son bras qui frissonne. Il est parcouru de contractions involontaires, me semble-t-il. Ce n'est pas possible qu'il joue la comédie ! Je renouvelle l'expérience en appuyant un peu plus fort. Je ressens comme une décharge électrique qui se propage dans les muscles et déclenche les mouvements anarchiques. Mon inquiétude grandit à mesure que nous nous éloignons de la capitale. C'est toujours la même alternative : faut-il abréger l'attente pour obtenir une réponse immédiate ou vivre un quart d'heure de bonheur qui s'inscrira dans sa mémoire ? On ne peut pas lui gâcher toutes ses joies. Je choisis sa joie.

A moi de supporter, avec mon cœur qui bat la chamade, l'étrangeté de la situation. Il faut essayer de vivre normalement les quelques heures qui vont suivre et penser en même temps à trouver une solution pour plus tard.

Je ne dis rien quand nous arrivons chez la nourrice qui a dressé une belle table dans le jardin. Elle est contente de nous recevoir car elle sait que Jean-Maurice s'est plu à la maison. Elle nous présente ses deux autres enfants adoptifs. Nous admirons les fleurs, puis nous nous mettons à table.

Fabrice est à côté de moi. Les mouvements désordonnés de son bras sautent aux yeux. Il ne peut diriger sa fourchette convenablement vers sa bouche, la nourriture tombe à côté. Il est malheureux, je l'aide à manger. Ma conversation avec la nourrice traîne en longueur. En sortant de table, je l'avertis que nous allons devoir rentrer pour voir un médecin car Fabrice a des manifestations bizarres. Elle s'en est aperçue et est désolée pour nous. Nous acceptons cependant d'aller voir le petit ruisseau qui coule derrière la maison. Fabrice suit mal, il traîne la jambe. Cette fois, j'ai vraiment peur. Je suis obligée d'accélérer le départ.

Nous repartons sur Versailles. Je juge inutile d'aller à l'hôpital des Enfants-Malades car, un samedi soir, je crains de ne pas être reçue immédiatement et surtout de ne pas trouver notre médecin. Je connais l'adresse d'un cabinet médical où je ne suis jamais allée mais qui se trouve sur notre route. Pendant que la secrétaire m'écoute, un médecin qui raccompagne un malade à la porte a dressé l'oreille. Il nous regarde. Il prend Fabrice par la main et lui demande de marcher. Deux minutes plus tard, nous sommes assis dans son bureau.

La chance joue. Ce médecin a tout de suite trouvé le diagnostic exact. C'est une chorée de Sidenham, une maladie pratiquement disparue, que l'on appelait autrefois « la danse de Saint-Guy » ! Mon sang ne fait qu'un tour : je pense à la folie. Fabrice me regarde avec ses grands yeux noirs, intelligents et profonds.

Le médecin nous explique qu'il faut l'hospitaliser d'urgence et il nous propose de l'envoyer à l'hôpital Richaud à Versailles. Fabrice est presque soulagé de savoir que nous serons à côté de lui. Le médecin s'occupe des formalités, prend contact avec une équipe inconnue pour nous. Une fois de plus, je me demande comment tout cela va finir.

Je regarde mon fils et garde dans mon âme ma révolte qui s'accumule. Peine pour mon fils, peine pour moi, pour mon mari, pour Christophe.

Fabrice a quatorze ans, il est encore petit pour son âge. Sa vulnérabilité est proportionnelle à sa taille, mais quelle force de caractère pour supporter tout cela ! On lui casse sa vie, on fendille son corps, vase fragile, à chaque fois un peu plus.

Je vais encore devoir le laisser dans un lieu médical nouveau pour lui. Le soir, quand je sortirai de sa chambre, je sais ce qu'il fera. En riant jaune, il essaiera de dire en plaisantant :

– Maman, je vais t'empêcher de partir comme quand j'étais petit à l'hôpital...

Je me baisserai sur son visage, il mettra ses deux bras autour de mon cou : je tenterai de me dégager sans succès et nous rirons. Finalement je réussirai. Une fois, deux fois... ce jeu où il me serre très fort pour me garder quelques minutes de plus, quand arrêterons-nous d'y jouer ?

Je crois que ses grands yeux noirs sont plus poignants tandis qu'il grandit.

Il faut obéir à l'avis médical et prévenir mon mari.

Les manifestations nerveuses de Fabrice vont nous faire pénétrer dans un autre univers hospitalier. Un de plus. Le chef de service est prévenu de notre arrivée. Il nous reçoit avec commisération et autorité. C'est un patron qui a la réputation d'être très qualifié, mais pas très commode. Certains le trouvent distant et dur, parfois. On sait qu'il ne supporte pas les gens qui se plaignent pour rien.

Cette rencontre est providentielle car ce médecin nous épaulera durablement. Entre Fabrice et lui, une connivence s'établit, une admiration mutuelle prend naissance.

Moi-même, je n'aurai jamais peur d'affronter le caractère direct, compréhensif et droit de cet homme. Il ne nous a jamais caché la vérité, il nous l'a même assénée parfois brutalement. Il admirait le courage de Fabrice et le traitait en homme.

A cette époque, Fabrice affectionnait une casquette de marin achetée à la pointe du Raz. Il la portait quand il allait à la consultation, où l'on n'attendait jamais. Le docteur G. le recevait chaque fois en disant : « Alors, mon capitaine, comment ça va ? »

Une autre fois, alors qu'il était entouré de collègues-assistants à qui il avait dû parler du « cas », il leur déclara : « Je vous présente Fabrice, c'est le plus courageux de mes clients. » Fabrice l'aimait bien et nous aussi.

Mais ce jour-là, nous ne nous connaissions pas encore.

Il nous explique que Fabrice est atteint d'une maladie un peu mystérieuse qui a un temps pour évoluer. La gravité réside dans les risques de complications ultérieures. Le traitement nécessite un repos absolu. Il faut éviter les émotions et calmer l'anxiété. En fait, il nous fait comprendre que Fabrice doit être isolé et ne doit pas recevoir de visites jusqu'à nouvel ordre.

Fabrice a entendu, a compris :

— Maman, le jeu où je te prends par le cou pour que tu ne puisses pas t'en aller, on va le faire ?

On joue au jeu, et on recommence, on recommence, on recommence un peu plus que d'habitude puisque demain je n'ai pas le droit de revenir!

Nous avons remercié le médecin – mon mari m'avait rejointe – et nous sommes partis comme des malheureux. Dans la cour de l'hôpital, nous avons levé la tête pour voir une lumière briller à une fenêtre. La lumière de sa chambre. Triste fin pour une journée à la campagne.

L'hospitalisation dure. On nous dit que Fabrice va bien. Une fois, mon mari a essayé de violer le contrat en tentant de l'apercevoir derrière la vitre. Le médecin, qui a vu, s'est fâché! Nous n'en pouvons plus de ne pas le voir. Nous voulons aider la médecine mais c'est pénible à supporter.

Quand nous nous retrouvons seuls à la maison, l'ombre de Fabrice est entre nous deux. Comment va-t-il sortir de cette nouvelle attaque? J'ai peur qu'à la longue son esprit se mette à dérailler. Chacun souffre à sa manière de son impuissance.

Nous nous demandons quelles images, quels nuages peuvent s'accumuler dans la tête de notre enfant. Heureusement, sous un abord bourru, nous avons deviné l'immense charité du médecin et cela nous réconforte.

Mon mari et moi avons sûrement les mêmes idées dans la tête mais de trop parler de sa souffrance finit par faire mal à l'autre. Aussi, chacun garde la sienne.

Cet enfant, il est tellement aimé de nous deux qu'on ne peut s'effondrer à cause de lui. C'est lui qui souffre, c'est nous qui l'avons voulu, c'est l'image perpétuelle d'un appel au secours. Son mal ne finira jamais, il faut l'admettre et le supporter.

Pendant que Fabrice lutte dans sa solitude, Christophe se passionne pour sa musique, pour ses soldats de plomb qu'il peint avec une patience et un art incroyables. Je suis contente de voir qu'il trouve des moyens pour s'échapper de la brume et qu'il a des dons pour enjoliver la vie.

Fabrice fut bien entouré par le personnel, mais ne comprit pas tout à fait pourquoi nous ne pouvions passer l'embrasser.

Le docteur G. s'est immédiatement mis en rapport avec l'hôpital des Enfants-Malades pour avoir le dossier. Peu à peu il découvre la longue histoire de Fabrice. Il se met à notre place et nous sentons qu'il ferait n'importe quoi pour nous aider et soulager notre fils. Il n'était pas optimiste sur sa survie mais disait que Fabrice vivant c'était déjà une victoire.

Enfin, le jour de la sortie arrive. Le docteur G. nous a fait entrer dans son bureau où ostensiblement était posé le scanner. Il nous a dit :

– Les résultats sont mauvais. Il a un œdème cérébral et des anomalies. Fabrice ne vivra pas longtemps. Aussi, fichez-lui la paix avec ce qu'il ne peut pas faire, faites-lui plaisir, ne l'embêtez pas avec des obligations.

Beaucoup d'affection et d'émotion planait dans ce discours. Nous avions trouvé quelqu'un qui ne nous laisserait pas tomber et qui nous comprenait.

Fabrice est rentré à la maison. Quelques jours plus tard, au moment du dîner, il a pris un couteau, il l'a mis devant son ventre et a dit :

– Je n'ai pas peur de la mort. La seule chose qui m'ennuie c'est que je n'aurai plus ma famille.

Je l'ai regardé tendrement et je lui ai dit :

– Tu vois ça comment, la mort ?

– Ce serait la même vie, mais sans corps.

Notre souffrance, c'est une pierre que l'on ajoute au building construit malgré soi chaque jour. Une tour, mouillée d'un ciment de larmes retenues. A mesure que l'on se rapproche du ciel, on a l'impression que les étages sont moins solides, que la terre tremble, qu'une bourrasque un peu plus forte que les autres terrassera, un jour, l'édifice condamné. En attendant, il faut penser à lui assurer une existence supportable. Nous sommes son assurance sur la vie, il le sait.

Ce n'est pas la première fois qu'on nous prévient de la mort possible de Fabrice, mais cette fois l'alerte est rude. Qu'allons-nous faire ? Personne ne peut répondre à notre place. Mais il y a le regard profond de Fabrice, son regard qui jette des éclairs, qui pose des questions sur les gens, sur la vie et les mystères de la mort. Comme des bâtisseurs, nous l'avons forgé, nous saurons bien, une fois encore, colmater les brèches, panser les avaries de ce corps meurtri. Nous allons continuer à avancer.

Ainsi, pour ses quatorze ans, nous organisons une fête comme il les aime, avec ses amis de Nanterre et de Versailles. Il rit aux éclats.

Le temps transforme l'enfant en petit adulte. Fabrice est protégé, mais Fabrice s'affirme. Il finit par refuser les perfusions à l'hôpital.

Il s'examine de mieux en mieux et réfléchit de plus en plus. Soins, médicaments, hospitalisations se succèdent. Il ne croit plus à la valeur du liquide introduit dans son sang. Moi-même, je doute, je recule. On lui a expliqué, dessiné le mécanisme des anticorps, guerriers de son combat. Il ne comprend pas que cet apport de gamma globulines soit insuffisant pour le protéger. Je l'écoute, j'accepte de refuser les perfusions comme il me le demande.

Pendant quelques mois nous avons l'impression d'être des prisonniers libérés. Cette brève interruption fait prendre conscience de l'esclavage médical que nous subissons. Fabrice n'est jamais libre, et moi non plus.

Une intervention du professeur G. nous ramène à la raison. Les perfusions reprennent, en accord avec Fabrice. Mais, une fois sur deux, nous allons au centre de transfusion de Versailles. C'est un progrès considérable car l'endroit est neutre. Fabrice est bien accueilli, chouchouté, on lui choisit la meilleure « piqueuse », Élisabeth, gentille, virtuose de la seringue. Elle a le doigté de la main et le doigté du cœur. Fabrice ne s'y trompe pas. Fabrice lui fait confiance et l'opération se déroule normalement. L'après-midi n'est jamais entamée et Fabrice multiplie ses occupations.

Il a demandé à s'inscrire à un club de modélisme. Il veut construire un bateau télécommandé. Il en a déjà fait un avec son père, mais maintenant il veut essayer de se débrouiller seul.

Pour pallier les conséquences psychologiques de sa maladie, Fabrice est suivi en psychothérapie. Il réclame lui-même ce lieu de parole et d'écoute avec une personne non engagée dans son drame.

Quant à nous, les parents, on nous demande de traiter Fabrice le plus possible comme un jeune « normal ». Il y a parfois un fossé entre le désir de celui-ci et la réalité que nous connaissons. C'est ainsi que nous lui offrons un vélo pour son anniversaire, malgré nos réticences. Nous cédons en cela au désir de Fabrice et à une certaine pression médicale. Nous avons remarqué que le sens de l'équilibre est défectueux chez lui. Il panique quand un obstacle se dresse sur sa route.

Un jour, en sortant de la maison, il a lâché les pédales devant une voiture et son cri est parvenu jusqu'à nous par les fenêtres ouvertes. Encore une fois l'ambulance. Il était atteint d'une double fracture qui mettra des mois à se consolider. L'ostéoporose dont il souffrait a ralenti énormément la calcification.

Six mois de plâtre et l'humiliation de préparer sa profession de foi, à laquelle il tenait tant, en fauteuil roulant. Le jour de la cérémonie, il marche avec des béquilles, à côté de sa cousine Marie, qui y participe elle aussi.

Heureusement, nous avons organisé, avec mes sœurs, une fête chaleureuse. Nos amis de Dax sont venus pour agrandir le cercle des fidèles. La joie de ces retrouvailles lui font oublier, toute l'après-midi, sa situation inconfortable et, ce jour-là, il a quand même été heureux.

Au milieu de cette vie difficile, Fabrice a besoin du rayonnement de l'amitié. Il a besoin d'un ami à qui montrer qui il est et de quoi il est capable. Ses compagnons d'infortune, il les choisit lui-même. Dans la plainte qu'il élève pour eux s'inscrit son appel au secours.

Dans la solitude des autres et leur détresse, il pleure la sienne.

Petit, il a pleuré la mort de Claude François. Il était à l'hôpital, nous regardions la télévision. Il a dit : « Mais, que vont devenir ses enfants ? » Il aimait les rythmes de « Clo-Clo » et avait une mémoire considérable pour retenir les paroles de ses chansons.

Quand il a su que Thierry Le Luron était malade, il lui a écrit en lui parlant de son expérience et en se donnant en exemple, sans forfanterie. Simplement, il voulait lui dire qu'il fallait lutter pour vivre et pour guérir.

Son regard sur Mohamed qu'il considère comme un ami en est un exemple frappant. Ce jeune Arabe est suivi depuis longtemps dans le même service. En fait, nous ne savons rien de sa famille, sinon que, comme Fabrice, en dehors des hospitalisations il est hébergé dans un centre médical. Parfois, il prend l'avion pour retourner en Afrique du Nord. L'aspect maladif, le corps laid et déformé de son ami le révoltent. Le croyant seul, il veut l'adopter, il voudrait que nous l'adoptions. Il s'inquiète de son défaut de croissance, comme il s'inquiète pour le sien. Il faut lire la lettre qu'il envoie au chef de clinique. Elle s'intitule : « Les malheurs de Mohamed, les malheurs de Fabrice. »

Lettre pour Madame Debret. 30/09/84

Chère Madame Debret.

Je voudrais être hopitalisé car mon
état s'agrave de jours en jours.
Et si Ahmed reste jus qu'en dicembre
jespere que je serais avec lui.
J'aimerais inviter Ahmed un samed
ou un dimanche en octobre car depui
qu'il est arivé il n'est jamais sorti
de l'hopital.
Je le connais depuis longtemps.
Je ne peux pas vous dire l'age
qu'on avait quand on était
petits ensemble.
Ca ne doit pas être amusant tous
les jours pour lui
Si ca vous ennui pas qu'on l'invite
car moi sa me ferait plaisir

Amed m'a dit qu' il resté jus qu'en
Décembre.
Je prie tous les soirs pour Amed et
Loïc car je veuse les aider tous.
Pourquoi Amed ne grandit- il pas?
On ne pourais pas lui donné du
nilwan pour le faire grandire
car il est tout petit quand je le
regarde - j'aimerais que se soit
mon troisième petit frère.
Je n'aime pas qu'on face du
mal à Amed. Surtout avec les
bas qu' il à il doit être dure
a piquer.
Mais il me fait pitié
Quand j'arive à l'hopital qu'il soit
hanché ou non je le vois toujours
rire, ca me fait plaisir.
je pense à lui tous les soirs en
me couchant,
~~j'aimerais~~ bien qu'on sorte tout
~~Bon~~ -

Les deux dans une chambre à deux
lits. Ahmed je n'aime pas
quand on le branche car il
a tout des fils partout il ne
faut pas se tromper dans les
fils?

je ne sais pas si on pourra
être dans une chambre à deux
lits. pour ma prochaine
hospitalisation.
je pense que vous ferez
quelque chose pour que je
sois avec lui pour m'occuper
de lui si il est branché à
la biquette

_ Les malheurs d'Ahmed
j'aimerais me rendre
utile pour lui, car je le

« Les malheurs de Mohamed, les malheures de Fabrice »

considère comme un troisième
frère. Je rêve de lui de temps en
temps.

La dernière fois que je l'ai vu
il était branché à son petit oiseau
par ou il fait pipi.

Est-ce que Ahmed reste longtemps car on pourrait le prendre
le samedi matin jusqu'à 5 heures
du soir si vous êtes d'accord
car il m'a dit qu'il avait des
oraires de sortie.

Si il va bien je le prendrai
samedi et Dimanche

— Les maleurs de Tahica
vous savez je me demande
si une greffe ne ferait pas
aranger les choses pour moi.
Je me demande si les perfs

me font quelque chose, moix,
je ne pense pas que sa fasse rien
dans ma peaux
Puis quand on me pique quel
que fois ils me ratent moi j'en
ai mare.
je voudrais qu'on revoit mon
regime car je voudrais
manger du poisson est tous ce que
je ne peu pas manger.

Car avant je pourrai manger du poisson
lentille et des petit pois
j'en n'ai mar des plaies que j'ai eu
en bas car quand je march ça
frotte sur les bouse et se n'd
pas amusans pour moi et je
souffe le martire c'est dure à
suporté.
j'aimerai être comme tout
le monde et ne plus avoir
de medicament et ne
plus avoir de soins car ca durent
longtemps et ca men nuié
                    Fabice

En résumé, c'est « Faites quelque chose pour lui, faites quelque chose pour moi ». C'est l'expression de son désir souvent exprimé : « Je veux les aider tous. »

Un autre enfant va graver son visage dans celui de Fabrice, c'est Loïc.

Loïc et Fabrice, c'est une très belle histoire d'amour.

Quand Loïc est arrivé dans le service, il a fait partie des grands.

Fabrice l'a remarqué immédiatement et est allé à sa rencontre : « Loïc, je l'aime parce qu'il a les jambes qui se croisent et que je peux l'aider à marcher. »

Entre eux s'établit une relation affective très forte. Ce sont deux petits princes apprivoisés sur une planète étrange. Loïc est plus âgé que Fabrice, il est son aîné de deux ans, mais cela se voit à peine.

Loïc est fort dans sa tête, lucide, clairvoyant, stoïque, d'une sérénité admirable. Fabrice s'étonne et admire cette absence de révolte. Il voudrait que son ami lui dévoile le secret de ce comportement qu'il ne comprend pas. Dans la tête de Fabrice, la révolte gronde souvent et la colère en est l'expression la plus marquante.

Extrait du journal de Fabrice : *Mon copain Loïc, je l'aime plus que les autres. Je l'aide à marcher parce que ses jambes se croisent. C'est l'ami que j'aime le mieux. Il a un sourire très joli et très gai. Quand je suis au centre Lacapère, je lui téléphone pour qu'il me remonte le moral. Ce jour-là, le dimanche soir, je ne voulais pas retourner au Centre. Alors j'ai téléphoné à Loïc qui était à l'hôpital. Je lui ai dit que j'avais peur de la mort. Il m'a dit que cela lui était égal. Il a dit « je vis au jour le jour, en ce moment j'attends Noël et après ce sera Pâques. Tous les deux on doit avoir beaucoup de courage ». C'est plus drôle d'être au Centre qu'à l'hôpital. Il m'a remonté le moral et je suis parti au Centre.*

Loïc souffre d'une maladie qui nécessite une greffe

de moelle osseuse. Cette intervention délicate comprend des risques graves. Tout le monde le sait dans le service, Fabrice et Loïc également. La décision prise, Loïc est hospitalisé. Fabrice lui téléphone, ou le rencontre, à l'hôpital. Il demande à aller le voir pendant ses congés. Quelque temps avant l'intervention il est admis, par faveur, à aller dire au revoir à son ami, installé déjà en chambre stérile. Il s'est habillé de blanc des pieds à la tête, comme c'est l'usage, et il est entré dans la pièce. Nous étions derrière la vitre à les regarder. Leur échange a été bouleversant. Ils ont fait des projets, Fabrice a invité Loïc à venir passer le mois de juillet en Bretagne avec nous. Il m'en avait parlé et nous avions pensé que c'était faisable.

Une sœur de Loïc a aussi été hospitalisée, car c'est elle qui fait don de sa moelle à son frère. Fabrice suit avec gravité toutes les étapes de cette aventure à hauts risques. Il est inquiet. Le jour fatidique arrive. L'opération semble réussie mais il faut attendre encore avant de crier victoire.

Fabrice est invité à l'arbre de Noël du service. Les enfants hospitalisés y assistent d'office et certains vieux familiers y sont personnellement conviés.

Ce jour-là, les médecins, les infirmières enlèvent leur blouse. Le buffet est dressé. Le sapin trône, majestueux et, à ses pieds, des cadeaux au nom de chacun. Fabrice aime cette journée et particulièrement le moment où tout le monde se réunit pour chanter au pied de l'arbre. Il apporte son classeur de chansons, très fourni. Il sait que Marie-Jeanne sera là avec sa guitare et qu'il pourra s'en donner à cœur joie.

L'ambiance du service est celle d'un jour de fête. Mais, au bout du couloir, il y a la chambre de Loïc. Sachant qu'il nous attend, nous nous dirigeons d'abord vers lui. Nous faisons halte derrière la vitre. Il avait demandé à sa mère qu'on le réveille à notre arrivée. Elle le secoue. Fabrice est monté sur un tabouret pour mieux le voir.

La mère de Loïc sort de la chambre pour me parler.

Nos regards se croisent. Nous avons laissé Fabrice, deux minutes, pendant qu'elle me disait que tout espoir avait disparu.

Loïc va mourir. Fabrice est derrière la vitre, il regarde son ami qui ne le quitte pas des yeux. Quelque chose a traversé la vitre. Le regard doux de Loïc a dû parler car petit à petit une douleur muette s'inscrit dans le regard de Fabrice, une révolte envahit son visage.

Il a compris sans un mot. On lui vole même son ami. Il est abandonné par son frère. Inconsciemment, c'est lui qui meurt un peu. Cette greffe, il en rêvait pour lui aussi et cet échec anéantissait l'espoir de la vie.

La violence de sa colère a été terrifiante, une explosion de rage et de désespoir. Il s'est mis à hurler et à courir comme un fou dans le couloir. Il pleurait et accusait les médecins. L'un deux l'a saisi dans sa course et, accompagné du professeur G., l'a emmené dans les bureaux. Ils ont parlé longuement, je ne sais pas ce qui s'est dit car je suis restée dehors, n'en pouvant plus moi-même. Ils ont réussi à le calmer.

Merveille de l'enfance : une demi-heure plus tard, il chantait à pleine voix devant l'arbre. Il serrait, sur ses genoux, son cadeau de Noël et celui de son ami Loïc.

Loïc est mort le 25 décembre. Mme M. m'a téléphoné. Cette année-là, j'avais gagné un concours professionnel et je partais le lendemain en Afrique. Fabrice devait rester en Charente, chez mes beaux-parents, avec ses cousins de Nice. Personne ne voulait qu'il sache la vérité avant mon retour. J'ai menti à Fabrice, ou plutôt j'ai repoussé l'échéance de la vérité. Il continuait à écrire à son ami.

Quand je suis rentrée, nous sommes remontés à Versailles. J'avais peur d'annoncer à Fabrice la mort de Loïc; je ne savais pas comment m'y prendre. Il fallait que je lui explique pourquoi je ne lui avais pas dit la vérité tout de suite. Devant l'affrontement, j'étais lâche. Je ne voulais pas, par ma maladresse, ajouter une once de peine à sa douleur prévisible. Pour me donner du courage, je suis allée en parler à un médecin.

Le soir, dans la cuisine, je l'ai pris sur mes genoux. Mme M. lui avait écrit personnellement. Je lui ai donné la lettre. Il a tout de suite compris et il m'a demandé de la lui lire, car il avait du mal à déchiffrer les écritures. Mes larmes coulaient sur cette si belle lettre. Fabrice pleurait de rage et de désespoir. Il en voulait aux médecins qui avaient tué son ami :

– Avant qu'ils s'occupent de lui, il était vivant, il me parlait !

Pendant plusieurs jours, avec mon mari, nous l'avons gardé dans notre chambre pour le consoler, pour le panser, tellement il était malheureux.

Au pire de son chagrin, il nous a demandé de l'accompagner sur la tombe de son copain puisqu'il n'avait pu aller à l'enterrement. J'ai promis et nous y sommes allés plus tard. Il voulait voir où était enterré son ami et consoler sa famille.

Malgré la séance douloureuse de l'arbre de Noël, je ne sais pas si le monde médical a soupçonné l'ampleur de ce drame dans la vie de Fabrice. Une blessure ajoutée à toutes celles qu'il avait déjà supportées. Loïc, c'était la vision de sa propre mort. La cicatrice ne s'est jamais refermée.

Dans les mois qui ont suivi, il a rendu la médecine responsable de l'échec. La chambre où Loïc était mort lui était devenue insupportable et sacrée. A quelque temps de là, il a eu une adénite jugulaire qui le faisait beaucoup souffrir. Les traitements étaient inefficaces, on se demandait ce qu'il couvait comme infection. A la consultation, on a décidé de l'hospitaliser. La terreur de revoir la chambre de Loïc a renouvelé sa colère. Le médecin a supporté son agressivité et les mots grossiers qui l'accompagnaient. La violence tapie en lui a éclaté. Finalement il a quitté la salle d'examens en larmes. Nous l'avons retrouvé dans le parking, caché sous une voiture.

J'ai expliqué au médecin le deuil non accepté de Loïc et son effroi de retourner dans le service.

Là encore, il fallait bien que je prenne sa défense pour expliquer ses états d'âme, afin qu'on ne le démolisse pas un peu plus par erreur. Le médecin a fait surseoir à l'hospitalisation, pourtant nécessaire. Nous sommes repartis avec une ordonnance un peu plus lourde que d'habitude. Mais Fabrice était libre.

De la mort de Loïc, il ne s'en est jamais remis. Ou plutôt, elle fit partie intégrante de sa vie par la suite. Il a continué à écrire à la famille, s'est intéressé à leur sort. Mystérieusement, Loïc a continué à le soutenir. Il a fait agrandir la photo qu'on lui a envoyée, il l'a accrochée au bout de son lit et il lui parlait.

– La nuit, je parle à Loïc et il me répond! nous confiait-il.

Nous n'avions pas le droit de bouger la photo et jusqu'à son dernier soupir il l'a fixée du regard. Loïc lui a ouvert la porte d'un paradis où il était sûr de le retrouver et de jouer avec lui, mais avec la joie des âmes, « sans corps ».

Extrait du journal de Fabrice : *Loïc me manque beaucoup. Ce que je ne comprends pas, c'est qu'on revit deux fois. Si c'est vrai, si je meurs, j'irai retrouver Loïc. Sans avoir de maladies, nous deux on jouera. On jouera chez l'un et chez l'autre comme des enfants pas malades. La deuxième vie, c'est pas toujours très gai. Je ne l'ai pas encore vue. Je ne la comprends pas très bien. Loïc est mort à quinze ans et ça je ne l'admets pas. Car c'est très jeune. C'est vrai, je ne peux pas admettre, c'était mon meilleur copain. Ce qui me manque, c'est de le toucher. Il est à côté de moi mais il est invisible. Quand je serai plus vieux, je ne l'oublierai jamais. Je relierai mon livre et quand je serai très vieux, j'aurai le sourire, un très grand sourire comme lui en mourant.*

A cette même époque, un autre jeune est venu à la maison. Curieusement, il s'appelait Loïc lui aussi. Il cherchait, de son plein gré, à approcher un enfant malade pour l'aider et le distraire. Avec une fidélité déconcertante, il va devenir un habitué de notre foyer. Les années ont passé et le décalage de leurs mentalités s'est accru. Mais, entre eux, rien n'a bougé; pas de fissures ou d'éloignement, comme nous aurions pu l'imaginer ou le craindre. Loïc est venu à la maison jusqu'au bout. Sa présence mettait Fabrice en contact avec la réalité. Et la possibilité qu'il avait d'être invité dans cette famille nombreuse, qui l'avait adopté, le remplissait de joie.

Réconfort aussi, ce lien qu'il créa avec Jean, un de nos amis. Celui-ci, père de famille, n'avait que des filles. Il traitait Fabrice en copain, lui distillant de la joie de vivre en lui faisant sentir que leur amitié était une chasse gardée entre eux. Nous nous écartions, ravis de le voir si heureux d'avoir été choisi pour une relation d'homme à homme. Nous trouvions que Jean gâtait un peu trop Fabrice mais à cela, il répondait :

— J'aurais voulu un garçon, mais si j'avais eu un fils comme Fabrice, je ne sais pas comment j'aurais réagi. C'est une affaire entre lui et moi.

Depuis l'enfance, Fabrice a tissé un lien privilégié avec la famille d'un de ses oncles paternels. Ces proches ont été éprouvés par la naissance d'un quatrième enfant trisomique. Avec ardeur et opiniâtreté, le couple a consacré ses forces à l'éducation de ce fils différent des autres.

Ils sont arrivés au maximum des progrès réalisables. Alors, ma belle-sœur a entrepris de créer un établissement spécialisé, un petit centre très familial, à Nice. Plus tard, elle a obtenu l'agrément pour la création d'un centre d'aide par le travail et son fils a pu suivre la nouvelle filière.

Fabrice a eu l'occasion d'aller plusieurs fois chez eux. Il y est aimé et compris. Mon beau-frère, colonel en retraite, lui fait lui-même les soins et lui ordonne la prise des médicaments d'une voix de stentor. En même temps, cet ancien militaire raconte ses campagnes. Puis il l'emmène en Vespa à l'établissement que dirige ma belle-sœur. D'une extrême générosité, mon baroudeur de beau-frère est révolté par les souffrances de Fabrice; Fabrice aime la chaleur et la compréhension dont lui et sa femme font preuve à son égard. De plus, l'activité du centre d'aide par le travail, qui comporte un service traiteur, lui paraît une création originale. Il aurait souhaité s'immiscer dans un cadre similaire. Pouvoir se faire soigner le matin et travailler l'après-midi dans un établissement protégé, à échelle humaine. Il trouvait la formule adaptée à son état et s'étonnait de constater qu'il n'en existait pas un pour lui.

Laurence, la fille aînée de la famille, a eu un grand rayonnement et beaucoup d'influence sur son cousin. Son expérience de la « différence » à cause de son frère trisomique la rendait pleine d'attentions et d'affection pour lui. Elle choyait Fabrice et Fabrice l'admirait. Très douée en dessin, elle venait le voir à l'hôpital et y croquait la vie d'un coup de crayon. Elle lui racontait des histoires qui le tenaient en haleine. La plus grande fierté de Fabrice fut d'être assis à côté d'elle le jour de son mariage. Je pense qu'il était un peu amoureux d'elle! Plus tard, il lui demanda d'être le parrain d'un de ses enfants et elle accepta. Très pratiquante, elle lui fit un bien considérable car il croyait tout ce qu'elle disait. Sa foi inébranlable nous dépassait. Mais nous respections le soutien moral et la joie qu'elle distillait. Nous n'étions pas capables d'apporter à Fabrice cette ouverture religieuse. Trop de souffrances sans répit pour Fabrice, le silence qui répondait à mes appels les plus intenses avaient largement enseveli ma foi.

Sous son influence, Fabrice nous demanda de faire partie d'un groupe de jeunes catholiques. Ce mouvement se réunissait régulièrement lors d'un repas partagé dans une famille d'accueil. Le père, médecin au centre de transfusion sanguine de Versailles, connaissait bien Fabrice. Les jeunes étaient des lycéens et lycéennes ordinaires. La présence de Fabrice et d'un autre jeune handicapé leur ouvrit des horizons. Avec un naturel propre à la jeunesse, ils étaient particulièrement intéressés, sans mièvrerie, par le chemin de vie de Fabrice. Ils étaient curieux de son expérience. Curieusement, Fabrice ne parlait jamais de sa maladie, mais de celle des autres. Il leur racontait ses rencontres, ses amis, la vie à l'hôpital. Il leur apporta son livre en leur assurant qu'on le publierait. A leurs yeux, il était quelqu'un d'important. Son expérience valait bien un cursus scolaire normal. Les relations avec ce groupe et la famille qui le recevait le revalorisait. En retour, l'approfondissement de la foi apportait une lumière d'espoir dans la vie de Fabrice.

Il savait que sa vie serait courte. Il fallait qu'il y eût une « seconde vie », comme il disait, et qu'elle lui offrît une vision plus belle que celle qu'il supportait. Sa croyance en Dieu lui laissait penser que si la justice divine existait, il aurait une place privilégiée.

Le bon dieu nous a créé pour qu'on se marie, qu'on est (sic) *une femme et des enfants. Qu'est-ce que je fais là puisque je n'aurai jamais aucun des trois!* avait-il écrit dans son journal.

Ce qui est bien à l'hôpital.
reflexions de plusieurs.

- de pouvoir regarder la télévision
- la gentillesse des infirmières
- les chambres sont belles ; si
on est pas trop malade c'est
agréable d'aller faire un tour
dehors.
- c'est bien de pouvoir choisir
ses menus.
. on aime bien les maîtresses
qui nous font travailler et
jouer - ça dépend lesquelles...
. c'est bien de pouvoir s'habiller.
. on dort mieux la nuit quand
on a eu un coup de Téléphone
des parents le soir.

*Fabrice avait demandé à ses copains d'hôpital
ce qu'ils pensaient de leur séjour.*

Ce qui est mal à l'hopital

C'est que, à l'hopital je m'ennuis un peu,
je n'aie pas assez de conversation avec le personnel, et
je n'aie pas de graçon de mon âge.

je trouve que le matin on me réveille de bonne heure
cela n'est pas normal car je n'aie rien afaire de
spécial. je trouve l'office petit.
Par ce qui est bien

c'est que dans la chambre, se trouve une télévision.
je peux aller me promené dans la cour où ce trouve
le bassin à poisson.

Benoît

Critiques de Pierre

1) le Vendredi il y a trop de docteurs au chevet de notre lit.

2) Pas marant de se mettre tout nu devant les médecins.

3) Je suis triste quand mon infirmière préférée n'est pas là

4) Çà me manque de ne pas être avec mes parents... mais la maman de vallantin est là car sinon je ne verrais personne et je n'aurais pas de BANGA

5) Quand on me fait des soins je n'aime pas que les petits regardent.

6) J'aimerais que les parents assis tout à la visite pour savoir ce qu'il en est de leotre maladie - parce qu'en fait çà les interessent "vachement".

Rapport de Serge M

ce qui m'ennuie le plus c'est
que l'on me pique et repique
souvent pour les perfusions.
- Je n'aime pas qu'on me
reveille la nuit.
- On attend beaucoup trop de
temps à la radio - on ne nous
prend jamais tout de suite.
- Je trouve que la cuisine
est trop petite et que les
petits nous dérangent.
C'est bien qu'il y ait bientôt
un service de nourissons - les
petits seront éloignés des grands
Je voudrais écouter ce que les
médecins disent sur moi. - J'aime
pas qu'on parle derrière mon dos
de ma maladie

- on aimerait avoir une
  jardin ou on puisse aller
  jouer quand il fait beau.
- dans la semaine on est
  reveillé trop tôt le matin.
  on nous prend la temperature
  trop tôt.
  on mange trop tôt le soir.

Les critiques de Fabrice par lui même :

1) « on reste trop longtemps à l'hôpital »

2) « je n'aime pas qu'on me pique plusieurs fois »

3) « je ne veux pas qu'on me mente , qu'on me dise que l'on me pèse , quand c'est pour me faire une prise de sang »

4) « c'est agaçant de devoir baisser sa culotte devant tout le monde ! »

5) Je voudrais qu'on m'explique ma maladie qu'on me dise comment elle est venue - je veux qu'on mette les parents dehors pendant la visite.

Balavoine est mort à 7h
du soir le 14 Janvier 1985. Il
avait 33 ans. Je l'aimais
bien.

Fabrice saisissait toutes les bouées possibles pour surnager dans sa tourmente. C'est ainsi qu'en 1985 nous l'avons emmené à Lourdes, à sa demande. Il croyait un peu au miracle, ou tout au moins il avait l'espérance d'une certaine amélioration de son état. Sa déception passée, il fut très heureux de sa participation au pèlerinage, malgré les conditions très pénibles de son hospitalisation à l'intérieur du sanctuaire, au milieu d'adultes très atteints. Ce voyage réveilla en moi des croyances endormies. Malgré cela, je ne trouvais pas de réponse à la souffrance de mon enfant.

Fabrice, qui a été pensionnaire dès l'âge de sept ans, apprécie de pouvoir, tous les soirs, retrouver l'ambiance familiale. Il s'investit beaucoup dans l'aménagement de sa chambre et du grenier. Il aime son espace. Sa chaîne hi-fi, sa collection de disques et de cassettes, ses recueils de chansons et son carnet personnel sont ses trésors, ainsi que de nombreuses boîtes de crayons feutre et de pastels.

Au centre Lacapère, il y a une chorale. Fabrice ne manque jamais les répétitions. Il aime chanter, et il aime écouter des chansons. Il choisit celles qui reflètent son existence, les situations qu'il a vécues.

Parfois, il met un disque et chante en même temps, à tue-tête. Ses rengaines préférées, il les prend dans les répertoires de Daniel Balavoine, de Pierre Perret...

Il rêve de monter sur les planches, d'aller chanter dans les hôpitaux. Son frère lui a acheté un micro et il s'exerce avec.

Ce besoin de paraître correspondait probablement à un désir de changer de personnalité, de changer de corps. Il aurait pris un nom de scène, il se serait métamorphosé, et enfin, il aurait été admiré. Son rêve secret, c'est d'avoir le charisme de Pierre Perret, et de distiller la même bonne humeur.

La chanson lui permet de s'exprimer indirectement.

Il a trouvé là un moyen détourné de se parler et de nous parler. Il nous fait écouter *L'accident,* de Michel Sardou.

« Surtout ne prévenez pas mes parents ils auraient trop peur de mon sang. »

Ce qui est extraordinaire c'est la facilité avec laquelle il retient les paroles, lui dont la mémoire s'est révélée fragile dans le cadre scolaire.

C'est aussi par la musique qu'il exprime la folle angoisse qu'il a de ma possible disparition.

Partir avant les miens, de Daniel Balavoine, est pour lui une autre façon de me poser la question qui, déjà, l'obsédait quand il était petit :

– Maman qu'est-ce que je deviendrais si tu mourais avant moi ?

> « *Et j'ai souvent souhaité*
> *partir avant les miens*
> *Pour ne pas hériter*
> *De leur flamme qui s'éteint...* »

C'est avec sincérité que je lui réponds :
– Tu mourras avant moi, c'est sûr, car je n'ai jamais été malade et je suis solide. Toi, tu es malade, tu partiras avant moi... Et tu nous manqueras !

Fabrice a besoin avant tout d'une réponse rassurante qui calme sa panique. Sa conscience de la mort est moins dramatique pour lui que l'idée de ma disparition.

Si je ne crois plus en Dieu, je crois en une justice divine. L'horreur de sa maladie, sans une mère pour soutien, me paraîtrait une immense aberration, une immense injustice.

Fabrice nous demande parfois de l'accompagner pour assister aux spectacles de ses chanteurs préférés. Il est allé voir la comédie musicale de Serge Lama *Napoléon*, il a vu Renaud au Zénith, il est allé au Palais des Congrès pour Michel Sardou...

Il nous demande d'apprendre à jouer d'un instrument de musique. Son frère fait du piano, il choisit l'accordéon. Nous trouvons que cet appareil convivial, chaleureux, lui convient bien. Malheureusement, bien vite, Fabrice se trouve bloqué dans l'apprentissage. L'appareil est lourd, les fissures de ses dessous de bras le gênent trop, la force lui manque.

Petit à petit, de lui-même, il délaisse l'instrument mais continue à chanter. Il va se réfugier souvent chez son frère qui a organisé sa chambre en enceinte musicale : orgue électronique, synthétiseur, micro... il écoute, il essaie un instrument... Dans cette ambiance, il est heureux. Il existe, oubliant ce corps qui lui fait si mal dans sa chair et dans son âme.

Pour nous, ses parents, ce qui est lourd, c'est de nous rendre compte que la maladie ne lui laisse pas de répit, et que le temps n'arrange rien.

Fabrice, comme tous les enfants, a besoin de rêver. La télévision lui procure une autre évasion. Il aime les films, les émissions de variétés, les séances de cirque. Il écrit à l'un de mes cousins, Nicolas, qui, à l'époque, anime une émission de jeunes.

Nicolas l'invite sur le plateau et Fabrice peut y voir chanter Laurent Voulzy. Ce jour-là, il devient un admirateur inconditionnel de Nicolas, qui incarne le rêve, pour un adolescent. Un fil s'est noué entre eux. Nicolas ne l'oublie pas, et Fabrice est fier de cette amitié. Il admire, chez mon cousin, son esprit d'aventure, qu'il sait faire partager à ses auditeurs. Nicolas, de surcroît, lui a écrit que le plus grand aventurier c'est lui, avec sa bataille continuelle contre la maladie.

Il lui téléphone. La célébrité de Nicolas, qui lui parle et s'intéresse à lui, le réconforte et le revalorise aux yeux de ses amis. Il vit ses expéditions, collectionne les reportages où l'on parle de lui.

Nicolas ne lui a-t-il pas écrit : « Si un jour j'ai un fils, je voudrais qu'il te ressemble... » ?

C'est vrai, Fabrice s'est battu tous les jours pour la grande aventure.

Avant son grand départ, avant qu'il s'en aille, Nicolas est venu lui raconter les grands espaces du pôle Nord, où il a été le premier à se poser avec un U.L.M. Ça a été l'un de ses derniers sourires.

VI

Été 1982 – juin 1984
Collège d'handicapés moteurs
de Vaucresson,
S.E.S. du Collège de Suresnes

Dans le grand carton où sommeille l'histoire de Fabrice, j'ai retrouvé quelques pages, écrites de ma main, auxquelles j'avais joint une copie du cahier de Fabrice. Le titre n'est pas original : « Premier août 1982, hôpital de Saint-Nazaire. »

Fabrice a treize ans et demi. Nous sommes à Kercabellec. Ce soir, je peux enfin écrire ce qui m'a bouleversée depuis trois jours. Dans la chambre, la musique aboie à pleins décibels : Je devrais dire dans notre chambre. Du lit où nous avons installé notre fils s'élèvent des chansons. « Il chante, cela va mieux », dit Christophe. C'est la vérité. Les paroles d'Enrico Macias nous percent les oreilles, mais c'est la vie qui vit.

La grande peur, que nous avons vécue comme une marée noire, a disparu à l'horizon. Il nous reste les traces au cœur qui ne s'arrêtera jamais de saigner.

Comme d'habitude, nous étions partis confiants et heureux pour nos vacances, à Kercabellec. Nos dernières vacances en ce lieu. La maison est vendue. Nous allons essayer d'acheter en région parisienne.

Pour les vacances futures, le groupe de copains qui nous attendent à Royan sont pour la plupart des amis d'enfance, fidèles et sûrs.

Kercabellec ne convient plus à Fabrice. Les enfants qui

jouaient sur la plage sont devenus des adolescents. Ils ont grandi.

Fabrice ne peut pas suivre, l'état de son siège est problématique, sa fatigue implacable. Christophe a envie d'aventures lointaines et rêve de découvrir le monde en solitaire. Il a le droit à l'évasion.

Les vacances avaient bien commencé pour Fabrice. Il était allé passer quelques jours à Dinard, chez ma sœur, puis, quand mon mari a eu ses congés, est venu avec nous à Kercabellec.

La première soirée fut réservée aux retrouvailles des lieux, au plaisir de humer les senteurs oubliées. Après un dîner vite expédié, nous allâmes nous coucher. Le lendemain de notre arrivée, nous nous retrouvons, Christophe et moi, devant nos bols fumants du petit déjeuner. La maison est silencieuse. Nous décidons de laisser les dormeurs se reposer, pendant que nous irons faire un gros marché à La Baule.

Un bruit nous alerte. Fabrice arrive en cahotant. Nous avons l'habitude de ses réveils titubants, coincés, rouillés.

Nous savons nous taire devant ce spectacle démoralisant, émouvant, pitoyable. Nous savons qu'il va aller tout droit à la salle de bains pour faire couler l'eau.

Soudain, nous entendons le bruit sourd d'une tête qui se cogne. Nous nous précipitons dans la salle de bains. Il a chuté dans la baignoire vide. Je m'affole, mais il me répond qu'il ne s'est pas fait mal.

J'ouvre les robinets et je le regarde. Il a l'air complètement endormi, pourtant il va se tremper avec satisfaction dans la mousse abondante de Septivon. Le bain se prolonge, il se sent bien dans l'eau. Je le laisse et lui recommande d'aller se recoucher si il est fatigué. Un moment se passe. Christophe est allé le surveiller.

« Maman, il ne peut plus sortir de l'eau! »

Je me précipite. Il est affalé sur le bord de la baignoire et ses gémissements sont accompagnés de pleurs.

*Je le prends dans mes bras et je lui demande ce qu'il a.
Déjà, il a des difficultés à bouger son bras et sa jambe.*

*Il parle de plus en plus mal. J'ai tout de suite compris.
Mon mari nous rejoint. Je sors Fabrice de l'eau, je le sèche,
je l'habille.*

*Je réveille nos voisins en sursaut pour pouvoir utiliser
leur téléphone que nous ne possédons pas. Le médecin généraliste qui nous connaît bien redoute une hémiplégie et nous
demande de prévoir immédiatement une hospitalisation à
Saint-Nazaire. Il s'occupe de la liaison médicale.*

*Le ciel m'est tombé sur la tête. Nous reprenons la valise
à peine défaite la veille au soir et attendons l'ambulance.
Fabrice nous regarde avec ses yeux noirs pleins de détresse et
d'anxiété. Je le rassure de mon mieux et lui dis que je ne le
quitterai pas. Il a l'air un peu moins inquiet mais son regard
reste dur. J'essaie de plaisanter :*

*— Encore un hôpital à inscrire dans notre collection. Tu
verras, en sortant, on s'offrira un bon repas !*

*Dans ma tête, tout a basculé. « Lui, en fauteuil roulant,
c'est l'horreur. » Je lui prends la main. Un réflexe de
croyant me fait invoquer le ciel. Je ne sais plus à qui
m'adresser mais je supplie : « Mon Dieu, pas ça. »*

Il faut que l'on m'entende, là-haut, s'il y a quelqu'un.

*J'implore; maintenant je sais, je le pressens, il s'en sor-
tira c'est sûr ! Mon mari suit l'ambulance.*

*Nous arrivons à Saint-Nazaire en un temps record. Le
service de pédiatrie, prévenu par le médecin, nous accueille
avec bienveillance. Le patron est là, un homme à grande
allure, plein de délicatesse. Des examens sont immédiatement effectués sur Fabrice : ponction lombaire, prises de
sang, etc. Sa panique s'apaise quand il voit que l'on a installé un lit de camp à côté de lui, pour moi.*

Épinglé à mon récit, j'ai retrouvé celui de Fabrice.

« Très bonnes vacances à Kercabellec! Le lundi, je me lève, je vais à la salle de bains. Alors je fais une galipette dans la baignoire où il n'y a pas d'eau. Je me fais mal et je pleure. Maman me relève et fait couler l'eau. Je suis tout ramolli, je n'arrive plus à sortir. Maman me regarde, me soutient et me met sur une chaise. Je lui dis que mes bras et mes jambes sont mous. J'ai du mal à parler et ma bouche est de travers.

Nous partons chez le médecin et j'étais sûr qu'il allait m'envoyer à l'hôpital. J'avais envie d'aller à l'hôpital le plus près.

Ils m'ont fait une prise de sang. Je n'étais pas content quand ils ont essayé de me tenir. Il y a un infirmier, il était complètement sur moi. Je lui ai dit : « merde, salaud! » et à celle qui me piquait : « et mon cul, c'est du poulet! » et, elle, elle disait rien, elle disait : « mon pauvre poulet ». Après ils m'ont fait une ponction lombaire. Le médecin femme est venu. Elle m'a expliqué qu'il fallait bien respirer fort pour enfoncer l'aiguille et bien respirer fort pour enlever l'aiguille. Là, ils m'ont tenu et j'ai été parfait. On m'a félicité. J'avais déjà eu mon électro-encéphalogramme. Ils m'ont branché une perfusion. J'ai pas très bien supporté la perfusion, ça m'a fait très mal au bras comme des fourmis. Mais ils étaient très bien et ils venaient souvent me voir.

Dans cet hôpital, que je ne connaissais pas, ça m'ennuyait de coucher tout seul la première nuit. Alors j'ai demandé à maman de rester et ils étaient d'accord. J'étais plus tranquille. »

La bouche a repris en premier son état normal. Puis, petit à petit, les réflexes sont revenus et la paralysie a disparu. Jours d'angoisse mais avec un résultat inespéré au terme de cette attente. Les médecins n'ont rien compris. Ils ont prévenu l'hôpital des Enfants-Malades de l'accident et ont accepté d'assurer la surveillance de Fabrice pendant les vacances. Nous étions bien acceptés.

C'était la solution la plus sage et la plus pratique pour nous.

Notre sortie à l'air libre nous a laissés un peu abasourdis. Le gros orage du début des vacances s'est éloigné. Nous éclatons du bonheur de voir Fabrice debout sur ses jambes. Être passé si près de la catastrophe va nous faire mieux vivre les vacances.

A la fin du mois d'août, l'adieu à Kercabellec s'effectue dans la sérénité. On photographie cet endroit privilégié que nous avons tous aimé. Nous regagnons Versailles.

La période de placement au centre de Nanterre touche à sa fin. Le séjour a assez duré et Fabrice veut partager complètement la vie de famille. Mais résoudre le problème de sa scolarisation devient un casse-tête.

Les soins, la médicalisation à outrance, l'absentéisme le marginalisent davantage à mesure qu'il grandit. Les établissements scolaires ordinaires ne peuvent se charger d'un jeune aussi singulier. De plus, aucune structure proche de notre domicile n'est adaptée à sa situation.

Si Fabrice est admis en milieu spécialisé, son dossier devra passer devant une commission, régie par la législation sur les handicapés. C'est un organisme que je connais bien.

En effet, cette même année, j'ai quitté la maison d'édition où je travaillais pour réintégrer à mi-temps le service social dans le cadre d'un centre médico-psychopédagogique.

J'assiste moi-même à des commissions en présentant les dossiers de ceux qui ont fait appel à nos services. Je me suis sensibilisée aux problèmes de placements avec l'espoir de faire bénéficier mon fils de mes compétences et de mes recherches.

C'est ainsi que j'ai eu l'idée qu'il pourrait éventuellement être accepté dans un lycée médical réservé aux handicapés physiques à Vaucresson. Son dossier, après un accord de la commission, est retenu.

Fabrice gardait un souvenir ému et joyeux de son passage aux Lycéens. Je m'imaginais qu'il s'adapterait facilement à un endroit identique à celui qu'il avait connu trois ans auparavant.

Mais là, je me trompais.

Il fait sa rentrée à l'E.S.H.M. (École Spécialisée pour Handicapés Moteurs) à l'école primaire en octobre 1982, comme demi-pensionnaire. Il est encore de très petite taille et ne fait pas ses quatorze ans.

Son regard sur le handicap a changé. La population du lycée le gêne et il commence à nous dire qu'il supporte mal la vue des infirmes. Il est bloqué devant le directeur qui lui-même n'a qu'un bras. « Il me fait pitié! » Il est révolté à la vue de certains camarades mutilés. Les blessures du corps des autres blessent son âme.

Nous commençons à réaliser que son esprit envahi par la maladie laisse peu de place aux apprentissages scolaires. Son désir de réussir sa vie est puissant mais ses possibilités limitées. Il va devoir recommencer un C.M.2 dans le primaire. Bien vite, il réalise qu'il ne peut faire face aux exigences du programme.

Pourtant il nous presse de lui trouver une école avec de « vrais » enfants. Son rejet du handicap est le signe d'une maturité qui s'éveille, d'un besoin de vivre dans un monde « normal » autre que celui auquel il est confronté dans son milieu scolaire et à l'hôpital. Pour l'instant, nous n'avons pas d'autres solutions à lui proposer et il lui faudra s'adapter.

L'année scolaire se termine laborieusement. Si les progrès en français sont indéniables, le calcul reste pour lui impénétrable. Fabrice ne passera pas en sixième. La décision est prise par l'établissement avec notre accord de l'orienter vers une classe de niveau. Ces classes doivent permettre aux enfants de consolider leurs connaissances et de choisir leur voie professionnelle. Un enseignement alterné d'activités manuelles et intellectuelles y est pratiqué. A ce moment-là, Fabrice prend conscience du fait que les voies habituelles de la scolarité lui sont bouchées et il en souffre.

Il s'analyse. Il sait qu'il ne réussit pas en classe mais il est persuadé qu'il peut réussir ailleurs. Il voudrait apprendre un métier, travailler de ses mains pour fabriquer des objets, et les vendre. Entre ce qu'il veut et ce qu'il peut faire, le ravin est profond. Fabrice est polyhandicapé mais ne veut plus voir d'handicapés. Il n'y a pas d'établissement susceptible de répondre à ce paradoxe! La secrétaire de la commission d'éducation spéciale, que nous allons devoir saisir une fois de plus, me connaît bien. Ensemble, nous retournons la question dans tous les sens.

Certaines formations professionnelles que l'on pourrait envisager lui sont formellement interdites, à cause de la complexité des allergies, asthme, eczéma, œdème de Quincke, et des risques de surinfection des plaies. Il réclame avant tout les métiers du bois. La demande formulée à l'hôpital reçoit une réponse négative. Son état ne lui permet pas de vivre dans la poussière et la sciure. La formation de tapissier soulève les mêmes objections. Les métiers de la cuisine lui sont interdits à cause des allergies alimentaires et des vapeurs de cuisson. Pas question non plus qu'il travaille dans une atmosphère envahie d'odeurs fortes ou d'émanations volatiles. Il ne peut rien supporter de tout cela.

Je mets mon espoir dans les sections d'éducation spécialisée (S.E.S.). C'est une structure annexée à certains collèges qui reçoit des jeunes présentant des difficultés scolaires. Ils y reçoivent une formation pré-professionnelle, dans des ateliers. Certains élèves peuvent faire des stages en entreprise.

La commission me fait comprendre gentiment qu'il sera difficile de trouver un directeur d'établissement qui accepte un jeune avec un dossier médical aussi chargé que celui de Fabrice. Elle ne nous refuse pas son soutien, au contraire, ni la prise en charge, mais elle se sent inefficace quant au choix de l'établissement convenable.

Avec acharnement, j'élargis mes recherches dans les collèges. Je réussis à joindre le chef d'un établissement de Suresnes qui accepte de me recevoir.

Après avoir consulté l'équipe de professeurs qui aura Fabrice dans sa classe, il me donne une réponse positive. C'est très courageux de la part de cet homme qui s'engage personnellement dans la réintégration de notre fils en milieu semi-normal.

Quelques points restent à résoudre. L'admission de Fabrice à la section spéciale est acceptée sous réserve d'une couverture médicale de l'hôpital Foch qui se trouve à proximité. Là encore, une équipe contactée se met à notre disposition. Le problème de la conduite au collège, éloigné de notre domicile, est résolu par l'acceptation d'une prise en charge de taxi.

La difficulté majeure reste le problème de la cantine. J'ai été un peu malhonnête avec le directeur en soulevant ce problème crucial le plus tardivement possible, quand l'admission était acquise. Qu'il ne m'en veuille pas!

Avec mon mari, nous souhaitons que Fabrice arrive à une autonomie d'homme, malgré toutes les embûches placées sur son chemin.

La discipline alimentaire est vitale pour Fabrice et il n'est pas possible d'organiser son régime dans le cadre du collège. Nous aboutissons à un compromis qui nous paraît fiable. Je préparerai moi-même les repas que Fabrice amènera dans une gamelle.

Cette gamelle avait deux étages. En haut, on mettait les hors-d'œuvre et en bas le plat principal, que l'on pouvait réchauffer à la vapeur. Elle possédait une poignée en fer. Quand nous avons été la choisir avec Fabrice, il en était fier. Nous ne nous doutions pas qu'il serait obligé de vite déchanter et que cette gamelle serait la cause d'un malaise permanent pour lui.

Son entrée au collège ne se fait pas sans anicroches. Il est le seul à arriver en taxi, le seul à arriver avec sa gamelle. Au début, il déjeune en face du directeur, ou seul à une petite table. Cet homme courageux doit mettre Fabrice à l'épreuve. Il a pris des risques en l'acceptant et ne peut lui accorder sa confiance d'emblée, craignant qu'il se laisse tenter par les mets des autres et en profite pour se servir. Les conséquences l'inquiètent à l'avance et il veut limiter les tentations.

Fabrice souffre de cette mise à l'écart et nous en parle.

Il veut passer inaperçu et sa situation à la cantine le marginalise. Petit à petit, il lui est permis d'aller avec les autres.

Cette gamelle a un autre aspect contraignant. Il n'y a pas d'endroit pour la ranger. Fabrice doit la garder en plus de son cartable. Plusieurs fois, elle servira de ballon de football, ou disparaîtra. Fabrice en est mortifié. Son désespoir fait peine à voir quand il rentre à la maison.

Parfois, on se moque de lui, on l'insulte comme tous les adolescents peuvent le faire lors des récréations. Si les injures touchent à son apparence physique, il ne les supporte pas et devient mauvais. Un jour, de colère, il projette un élève contre une porte vitrée qui se brise. Il a un avertissement et le directeur lui demande de payer une partie du carreau avec son argent de poche. Une autre fois, il se fait racketter et battre par trois filles. Il est terrorisé. Par chance, des policiers qui font leur ronde interviennent et ramènent le groupe au complet chez le directeur. Les filles seront punies et ne s'occuperont plus de Fabrice.

Le directeur a très bien compris Fabrice, le protégeant pour sa sécurité quand il le faut, mais le traitant « comme les autres » dans la mesure du possible.

Malgré ces petits incidents, l'année se déroule d'une manière satisfaisante. Fabrice est content d'aller au collège. En dépit de ses résultats médiocres, de sa lenteur et de ses absences, ses maîtres l'aiment bien. « Le prof de maths nous a demandé ce que nous voudrions être plus tard ! » me dit-il un soir. Tu sais ce que j'ai répondu ? « Être normal, comme les autres » ! Ils reconnaissent sa bonne volonté et sa gentillesse. Fabrice offre ses poteries faites au centre culturel des C3M. Mais malgré les efforts de chacun, cet essai n'est pas une réussite. De l'avis général, il faut trouver une structure plus médicale à Fabrice. Sa mise en stage s'avère impossible et prolonger sa scolarité aboutirait à un échec supplémentaire.

Il va falloir trouver une voie nouvelle pour la rentrée de septembre 84...

VII

Le Bel Air, 1984
Kremlin-Bicêtre, 1987

Le parcours du combattant se complique. Fabrice va avoir dix-sept ans et les projets scolaires se sont évanouis après l'expérience du collège. C'est l'impasse. Où l'intégrer ? Sans vouloir nous décourager, les différentes commissions nous confirment ce que nous pressentions : Fabrice ne peut aller nulle part, puisqu'il n'existe pas de lieu répondant à ses exigences de vie.

Je reprends mon bâton de pèlerin. Je tente de le faire admettre à l'École nationale de perfectionnement de Garches. Il est convoqué pour une journée d'observation, il est refoulé après la visite médicale. La maladie fait peur, son cas est trop lourd et trop différent de ceux des handicapés non malades qu'accueille l'institution.

Je cherche dans les centres de l'enfance inadaptée. L'amour-propre ne compte plus, c'est l'espérance de Fabrice qui est en jeu. J'en parle à notre ami, le docteur G., chef du service de pédiatrie de l'hôpital de Versailles. Mais il est pessimiste sur nos chances de réussite et ne voit pas de solution : il accepte toutefois de nous faire un certificat médical pas trop alarmant.

Je ne désespère pas, j'ai encore une idée. Il existe au Chesnay un institut médico-éducatif, le Bel Air, qui admet les enfants avec des retards scolaires importants. Les jeunes y reçoivent un enseignement modulé en fonction de leur cas. Des activités pratiques en atelier complètent la formation qui doit aboutir à une mise au travail et donner l'indépendance nécessaire de la vie courante. Nous pensons que la présence de Fabrice dans ce cadre lui donnera un but. Sinon il sera seul avec sa maladie et je crains alors pour son équilibre mental.

Je fais intervenir un autre ami qui est président de la Sauvegarde de l'enfance dont dépend l'institut. Le directeur accepte de nous recevoir et d'étudier le dossier de Fabrice. Son équipe est avertie de la complexité du cas mais accepte de tenter l'expérience de cette intégration très particulière.

Fabrice est admis au Bel Air. Les jeunes qui fréquentent cette institution forment une population hétérogène. Ils sont marqués autrement. Certains ont des connaissances très limitées. D'autres sont intelligents mais inadaptés à la vie. Passivité ou agressivité s'entrecroisent; la maladie est l'exception. Fabrice va devoir une fois de plus réaliser qu'il est différent et que sa place n'est nulle part. Son regard sur les autres sera réservé, sévère, car il voudrait être ailleurs. Il ne peut pas se situer, s'identifier aux plus performants et ne se reconnaît pas dans les plus faibles. La débilité l'énerve. Il recherche la paix mais, ici, il faut batailler pour avoir sa place.

Le regard des adultes sur « sa différence » est aussi énigmatique. Certains l'acceptent, le protègent, l'aiment immédiatement, d'autres le rejettent inconsciemment.

Dès le départ l'équipe a été avertie que les jours de Fabrice sont comptés. Cette échéance de mort qu'il porte en lui heurte probablement la sensibilité personnelle de certains qui ne se sentent pas à l'aise devant cette pathologie mystérieuse. Le face à face avec un jeune condamné ravive des craintes personnelles, oblige à se remettre en cause et certains ne le supportent pas. Peut-être y a-t-il une peur de ne pas se sentir à la hauteur de la tâche? Peur de se sentir engagé dans un don de soi intolérable, trop difficile?

Pour la première année au Bel Air, Fabrice s'intéresse aux ateliers car cette fois il a pu choisir le travail du bois. Il espère acquérir suffisamment de connaissances pour en faire un métier. Nous savons qu'il se fait quelques illusions mais nous nous forçons nous-mêmes à y croire pour garder l'espoir. Un moniteur leur fait fabriquer de petits objets. Planches à pain, dessous de plat, et de jolis damiers que Fabrice arrivera à vendre à des amis.

Pour compléter sa formation et le fortifier dans son avenir, je l'emmène faire un stage d'encadrement dans un centre artisanal des Yvelines pendant des petites vacances. Nous y retrouvons notre ami Bernard, le potier, qui anime l'atelier de sculpture. Fabrice a apporté ses gravures. Il est le seul jeune parmi des adultes. Cela le flatte. Il est heureux de ses réalisations, mais je dois l'aider. L'œuvre d'art lui permet d'échapper à son tragique voyage au bout de la nuit. Mais moi, je dois me rendre compte humblement que je vise trop haut. La précision obligatoire des mesures du cadre et de ses composantes lui échappe. Les calculs le bloquent. Cela me fait penser aux notions d'heure qu'il n'a jamais pu assimiler. A quoi sert de mesurer le temps quand on sait qu'il est si cruellement compté ?

J'avais mis quelques espoirs dans cette formation, et je dois déchanter. Je le voyais encadreur. Je m'étais trompé mais pour le moment je lui fais plaisir. Il est heureux, et c'est le principal. Il faut savoir vivre au jour le jour.

Pendant son séjour à l'institut pédagogique, Fabrice va faire une rencontre merveilleuse qui atténuera son malheur. Un homme, dépassant les fonctions de thérapeute dont il était chargé, va devenir son ami, son confident. Jour après jour, il va écouter notre fils, accepter sa révolte, le guider. A la fin, il l'aidera à marcher, au propre et au figuré, quand il ne pourra plus effectuer seul

Assistance ♥ Publique
Hôpitaux de Paris

[handwritten]
apprendre au grand à faire de l'ecadrement et a faire des
pellmell pour eux

j'aimerai être embauché dans le service du Professeur
Griseli pour m'ocuper des enfants assegrands

j'aimé m'occuper des autres enfants malades dans le service
qui n'ont pas de visite. qui sont malheureux. moi j'aime
bien être là. bas je connais tout le monde.

Assistance ♥ Publique
Hôpitaux de Paris

[handwritten]
Je crois que je vais faire un bon aide pour les enfants,
comme metier de l'ecadrement que j'aprendrai aux moyens et
aux grands qui sont au 7 etage de chez Griselli —
j'ai rencontré Mr Griselli qui ne m'a pas dit
bonjour mais il m'a dit « dépêche. Toi
de monter en haut » j'aurais aimé parler plus
avec lui

*1985 : Fabrice, pendant ses perfusions, faisait des projets d'avenir. Ces
deux lettres, qu'il a commencées, ont été complétées par sa mère sous sa dictée.*

le trajet de la maison au centre. Fabrice a beaucoup aimé cet homme, Jean-Claude Lombard, qui s'est trouvé sur sa route au bon moment. Il l'a aidé à gravir les marches de son calvaire, à accomplir son chemin de croix, qui débouchait sur son repos éternel [1].

Pendant ces deux années de présence au Bel Air, la contrainte hospitalière ne faiblit pas. Au contraire, car des maux nouveaux viennent s'ajouter au tableau déjà décrit. Des crises aiguës et douloureuses d'adénopathies [2] cervicales reviennent souvent, des panaris aux doigts apparaissent et disparaissent; des infections otorhinolaryngologiques l'attaquent. A chaque mal, le traitement devient plus complexe. Fabrice s'incruste à l'hôpital des Enfants-Malades. Il va régulièrement au centre de transfusion sanguine du Chesnay; il s'y est fait une place à part au milieu des adultes qui fréquentent ce lieu. Il aime bien, on l'aime bien. Les séances se passent sans réticences, surtout quand son infirmière préférée est là.

Les consultations à l'hôpital de Versailles chevauchent celles de Paris. Pour le soulager, et nous-mêmes reprendre notre souffle, nous l'envoyons régulièrement en cure. Il se plaira énormément à La Colline ensoleillée, à La Roche-Posay, dans la Haute-Vienne, malgré les contraintes médicales sévères. Il ira trois fois dans ce home. Ses liens avec le personnel seront profonds et fidèles. On fit même une exception pour l'admettre malgré la limite d'âge qu'il avait dépassée.

En juillet 1985, il partit dans une maison d'étudiants à Vence. Le choix fut mauvais. Les jeunes, valides, ne demandaient pas beaucoup de soins. Le personnel était limité l'été et les sorties mal organisées. Surtout, le linge à laver était laissé à la responsabilité des pensionnaires, ce qui était une aberration dans le cas de Fabrice.

1. Voir annexe.
2. Chaînes de ganglions.

Mon cher Papa   17/07/85

Pourras tu me faire venir les feux
d'artifice quand tu viendras me
chercher. Nous faisons des sorties
tous les jours. Comment va
christophe ? Pourras. tu me
faire venir par la poste 100 francs
pour les sorties. On a 12 jours
avant de nous revoir. Pourras.
tu me téléphoner ? Lundi 15
juillet, 1 er bain de soleil pour
moi. les autres étaient en maillot
et moi à poil. J'ai eu la honte
devant les autres. J'aimerai
que tu dises quelque chose au télé.
phone, c'est scandaleux. J'ai pleuré
devant les autres. Quand tu vien.
dras, on ira à la crêperie tous les 2.
Tu diras à Christophe que j'ai gardé
sa lettre. Maman m'a écrit 2 lettres

Lettre de Fabrice à son père lors de son séjour à la Roche-Posay, pendant l'été 1985. (Si les infirmiers l'ont fait mettre nu, ce n'est pas pour l'humilier, mais pour que le soleil aide à la cicatrisation de ses plaies au siège et à l'aine.)

Il ne se plaignit pas mais sa tristesse au téléphone était suffisante. Je partis m'installer à Antibes dans un appartement prêté par un de mes oncles. Les après-midi, nous parcourions l'arrière-pays comme des collégiens en permission. Nous nous arrêtions dans les petits villages, explorant le domaine des artisans, nous allions cueillir des fleurs. La côte et ses plages étaient beaucoup trop chaudes pour lui.

Au début de l'été, ma belle-mère est morte accidentellement. Elle nous avait beaucoup aidés. La distance entre la Charente et la Côte d'Azur ne nous avait pas permis d'aller chercher Fabrice pour l'enterrement. Il en fut très malheureux et ressentit cela comme une exclusion.

A la fin de ce séjour de repos, mon mari vint nous rejoindre et nous allâmes à Lourdes où Laurence, la cousine préférée de Fabrice, et son mari nous attendaient.

En novembre 1986, un choc inattendu ébranle notre équilibre familial. Mon mari, après une partie de tennis, fait un infarctus. L'alerte est sévère. Pour effacer ce mauvais souvenir, Xavier, l'un de mes frères, et Monica, sa femme, qui habitent en Guadeloupe, insistent pour que nous venions les rejoindre pendant les vacances de Pâques 87. C'est un rêve que nous n'avons pas osé réaliser jusqu'alors à cause de la santé de Fabrice. Et pourtant, nous brûlons du désir de braver les interdits, de conjurer le sort et de faire « comme si » c'était possible à nous aussi.

Mme D., responsable de l'hôpital de jour, nous donne l'autorisation morale. Fabrice est dans une période stationnaire et devrait supporter le voyage.

Nous partons tous les quatre confiants, heureux, étonnés de voir notre rêve se réaliser.

L'air chaud et humide des Antilles nous coupe le souffle à l'ouverture de la porte de l'avion. Mon frère et ma belle-sœur sont là pour nous accueillir. Dans leur grande maison de style colonial émergeant d'un bouquet fleuri de bougainvillées, les garçons ont pris la chambre de leurs cousins restés en France. Nous avons commencé à planifier notre découverte de l'île. Nous prévoyons des pique-nique sur les plages...

Les victuailles chargées dans la voiture, nous avons pris la route qui va à Saint-François à travers les champs de canne à sucre. Les garçons ont pris le matériel de plongée de leurs cousins. Arrivés sur la plage, Christophe a tout déballé. Il est parti à la découverte, assez loin. Seul, comme il aime le faire. Son frère, au bord de l'eau, n'avait pas quitté des yeux la petite tige du tuba qui pointe à la surface. Christophe est revenu. Fabrice barbotait dans l'eau qui léchait ses plaies jamais complètement cicatrisées. Christophe a demandé s'il pouvait emmener son frère dans un trou d'eau qu'il avait repéré. Ma belle-sœur a répondu qu'il n'y avait pas de danger. Nous regardons la scène. On se demande ce que va décider Fabrice. Christophe lui décrit les gros poissons bleus qu'il vient de voir (on les appelle des serpents des Antilles), des poissons perroquets et des poissons d'ange. Fabrice écoute son frère qui lui met le tuba en faisant attention de ne pas blesser sa bouche, puis le masque et les palmes.

– Tu vas t'accrocher à moi, je ne te lâcherai pas.

Ils sont partis doucement vers le grand trou où l'eau s'engouffre et où les poissons jouent.

Pour la première fois vraiment, nous avons senti que Fabrice pouvait s'oublier totalement et qu'il était plus fort que son corps maltraité. De loin, on les a vus accrochés l'un à l'autre. Ils sont restés deux heures dans l'eau. Miraculeux et bouleversant. Heures précieuses où Fabrice a connu le bonheur parfait, le plaisir sans contrainte dans un élément naturel qu'il aimait.

Ils sont revenus, heureux d'avoir découvert ensemble un paradis sous-marin. En rentrant, nous avons fait le grand jeu des soins. Mon mari s'est inquiété car les réserves d'eau provenaient de deux grandes citernes dont l'étanchéité lui paraissait douteuse. L'avenir lui donnera raison.

Le lendemain, nous sommes partis sur une autre plage; les frères se sont baignés mais moins longtemps.

Le troisième jour, l'alerte a commencé. Fabrice se recroqueville et, doucement, devient souffrance. Les plaies se sont creusées. Nous avons abandonné l'idée de l'eau de la mer et sommes partis dans les Basses Terres visiter la maison du café, et les cascades. A cette dernière visite, Fabrice n'a pas voulu descendre de voiture. Il est trop fatigué. Il a du mal à marcher.

Je sais, de tout mon être, que nos heures en Guadeloupe sont comptées. Le petit bonheur s'est déjà envolé.

Dès le lendemain, le tableau se noircit. Fabrice a le visage tourmenté, les sourcils froncés. Nous allons voir le médecin guadeloupéen que mon frère connaît bien au Moule. Il est consterné. Il renforce les doses de médicaments. Il voudrait déjà voir Fabrice hospitalisé quelque part. Mais, étant donné la complexité de la maladie, il doute de l'opportunité d'une admission à Pointe-à-Pitre. Il préfère faire confiance à nos soins et à notre habitude d'application du traitement. Jour et nuit, nous faisons bouillir de l'eau que nous additionnons de permanganate de potassium et nous en aspergeons Fabrice, recroquevillé dans une grande cuvette. Christophe ne quitte pas son frère et participe à la bataille. Je la sais perdue d'avance, car l'infection gagne.

Le regard-laser de mon fils m'interroge et me pénètre :

– Maman, je veux rentrer. Je veux aller aux Enfants-Malades !

En fait, il me dit : Maman, j'ai peur de mourir ici.

Le Dr S. vient deux fois par jour, il est dépassé et

inquiet. Les plaies sont nauséabondes et le risque de septicémie s'accroît. Il veut nous voir partir et téléphone en
métropole à l'hôpital pour demander l'accord d'un rapatriement sanitaire et une admission d'urgence.

L'opiniâtreté de mon frère et la solidarité des amis de
l'usine où il travaille vont nous permettre d'avoir rapidement deux places dans un avion en classe affaires. A
l'aéroport, un infirmier est là pour m'aider. Je me retrouve poussant le fauteuil roulant de mon fils. C'est comme
un mirage où se côtoient des images idéales et mons-
trueuses à la fois. Je laisse derrière moi les silhouettes
désemparées de mon mari, de mon autre fils. Mon frère
fera le nécessaire pour que ceux qui sont restés en Guadeloupe profitent quand même agréablement de la fin de
leur séjour.

Dans l'avion, on a allongé Fabrice à côté de moi.
Nous sommes au premier rang. Les heures vont être
longues. Je lui parle, je le rassure de mon mieux. Épuisé
comme il est, je pense qu'il va s'endormir. En fait, il som-
nole mais il veille. Quand nous naviguons dans les
nuages, il émerge et il ouvre grand les yeux. Autour de
nous, par les hublots, le ciel moutonneux ressemble à un
paysage de glace, uniforme et vide de vie.

Fabrice s'affole : « Maman, l'avion a atterri et ne
bouge plus, on n'avance plus, on est perdu. » Je n'arrive
pas à le convaincre de la réalité du vol et des heures qui
s'écoulent. Il ne me croit pas, il délire et pense que l'avion
est immobilisé sur un banc de glace. Il a peur. Finalement, il s'endort, terrassé par la fatigue.

Alors, faisant honneur à la prodigalité de la classe
affaires, je profite du foie gras, du champagne et de tout
ce que m'offre l'hôtesse de l'air, ayant trouvé ce moyen
pour reprendre un peu mes forces chancelantes et mon
moral ébranlé.

Enfin nous arrivons à l'aéroport de Roissy. Une

ambulance nous attend. Un infirmier va venir nous chercher dans l'avion. Nous descendrons les derniers.

Fabrice reprend de l'assurance, il sait qu'il va retrouver sa chambre et l'environnement capable de le sortir de ce mauvais pas.

Mais la suite ne se déroule pas comme nous l'avions prévu.

L'ambulance nous conduit directement aux urgences de l'hôpital, ce qui est inhabituel pour nous et me surprend. J'explique que nous arrivons des Antilles en rapatriement sanitaire et que Fabrice est attendu dans le service du professeur G. On feint l'ignorance. Nous sommes épuisés. Un médecin de garde examine Fabrice et me dit : « Il n'y a pas de place pour lui pendant le week-end. Alors, ramenez-le chez vous et revenez lundi. »

Alors, mes forces m'abandonnent, je craque. Je n'ai pas dormi depuis plusieurs jours et le voyage a été long et éprouvant. L'ambulance est partie. Je suis seule avec mes valises à mes pieds et Fabrice stupéfait et douloureux sur la table d'examen. Un immense coup de cafard et de découragement m'envahit.

Je menace :

— Si vous ne gardez pas mon fils et si vous ne le soignez pas maintenant, j'appelle une ambulance et je me fais hospitaliser avec lui dans l'hôpital le plus proche parce que je n'en peux plus.

L'interne s'absente. Quelques minutes plus tard, un autre médecin se présente. Celui-ci regarde mon fils, va téléphoner et s'excuse auprès de moi.

Il y a eu un malentendu et Fabrice est bien attendu dans le service d'immunologie.

Deux heures plus tard, lavé, bichonné, reposé, perfusé, mon fils, enfin rassuré, peut me sourire.

Une fois de plus, l'intensité médicamenteuse et la qualité des soins auront raison de cette attaque sournoise.

Mais, pour les Antilles, on se contentera de relater l'exploit du record de plongée effectué par nos deux poissons dans les eaux claires de la plage du François.

Dans son cadre hospitalier familier, Fabrice remonte la pente doucement. Dès qu'il se sent mieux, son regard se tourne vers les visages de ses petits compagnons d'infortune. Il veut participer à leur lutte et les aider. En cachette, il va faire manger Mohamed, malgré la pancarte interdisant l'accès à la chambre. Il me demande de lui acheter un ours.

Cette dernière agression de la maladie l'a amarré un peu plus solidement à l'équipe de soins. Sa certitude que l'hôpital des Enfants-Malades est sa planche de salut renforce son attachement.

Mais Fabrice, avec ses dix-huit ans, est trop vieux pour le service. Il a, depuis longtemps, dépassé la limite d'âge.

Sa commisération pour les autres le fragilise et l'angoisse. Mme D., qui le connaît et l'aime bien depuis des années qu'elle le soigne, pense qu'il est temps de l'orienter vers un service d'adultes.

Cette décision est prise pour son bien. Nous savons que le changement va être difficile pour lui et pour nous; mais nous avons suffisamment confiance en elle pour suivre son conseil et admettre le bien-fondé de la décision.

Nous partageons avec Mme D. le sentiment de tout mettre en œuvre pour aider Fabrice à devenir un homme.

De plus, à Versailles, nous avons le soutien du chef du service de pédiatrie et l'appui du médecin responsable du centre de transfusion sanguine. Nous sommes confiants et souhaitons que la prise en charge s'effectue en un lieu proche de notre domicile.

Mais le choix est pris de confier son suivi médical à un service d'adolescents, au Kremlin-Bicêtre.

Depuis notre retour en catastrophe des Antilles, j'ai

remarqué que Fabrice a de plus en plus de mal à s'exprimer normalement. Parfois, il se tape la tête avec sa main en répétant :

— Maman, je sais ce que je veux dire, là, mais j'ai du mal à le parler et à l'écrire. Souvent, il me demande de mettre sur un papier un mot ou une phrase dont il veut se souvenir.

Ce matin de mars 1987, hospitalisé dans le service d'immunologie des Enfants-Malades, il sait qu'il doit être présenté au nouveau médecin, chef du service des adolescents au Kremlin-Bicêtre. Il est paniqué à l'idée de ne pouvoir s'exprimer convenablement et surtout de ne pas dire tout ce qu'il veut dire. Alors, en présence de mon mari, il a préparé un papier avec toutes les questions qui se bousculent dans sa tête et qui s'embrouillent. Ses difficultés de mémorisation et de langage commencent à nous inquiéter. Néanmoins, nous avons écrit, sous sa dictée, ce mot que j'ai gardé :

— J'en ai marre de la maladie que j'ai. Je voudrais ne plus avoir de médicaments, plus de perfusion, être normal, vivre normalement.

— Je suis en train de me demander ce que je vais faire plus tard. Évidemment, avec la maladie que j'ai, pas grand-chose !

— Je suis en train de me demander quelle activité il y a dans votre service.

— Moi, j'aimerais apprendre à dessiner avec un vrai professeur.

— Quelquefois, j'en peux plus, je suis déprimé, cela me rend nerveux et je ne sais pas ce qui pourrait me calmer. Quand je parle avec Jean-Claude Lombard au Bel Air, cela va mieux.

— J'aimerais voir quelqu'un en particulier, mais plus souvent.

— *A l'hôpital, j'ai le cafard parce que je ne suis pas bien et je prends trop de médicaments, j'ai horreur de la Piostacyne.*

— *Si vous me suivez comme le professeur G., est-ce que je pourrai venir vous voir de temps en temps pour parler?*

— *Quand on est malade, on aime garder toujours la même infirmière. On sait qu'elle nous connaît.*

— *Je ne supporte pas de voir les petits souffrir. Surtout Rachid, parce qu'il n'a pas de visite.*

— *Je crois que ce que je prends devient de la drogue par voie buccale et intraveineuse.*

— *Pourquoi je suis toujours fatigué?*

— *Pourquoi je m'étouffe en mangeant?*

Fabrice.

Fabrice va quitter donc l'hôpital des Enfants-Malades et le service d'immunologie où, depuis l'âge de dix ans, tout a été mis en œuvre pour le sauver, il mesure la déchirure de la séparation. Ses liens affectifs avec le personnel du service sont puissants. Sa surveillance est confiée au service des adolescents de l'hôpital du Kremlin-Bicêtre.

Ses interrogations se multiplient comme s'il voulait se rassurer sur ce changement et espérer un miracle grâce à un autre suivi médical.

Mais on lui demande de faire un grand saut dans l'inconnu. Divorce qu'il n'a pas souhaité.

C'est une démarche nécessaire, mais l'expérience va prouver que son état nécessitait un autre cadre, une autre structure, inexistante il est vrai.

La plupart des jeunes du service d'adolescents où Fabrice est admis ont été hospitalisés pour une tentative de suicide, souvent à la suite de violences diverses. Beaucoup vivent des situations familiales explosives. D'autres sont là pour résoudre des problèmes d'anorexie, de boulimie ou de drogue. La maladie est l'exception.

j'ai marre de la maladie que j'ai - je voudrais ne
plus avoir de médicaments, plus de perfusion. être
normal. vivre normalement.
je suis entrain de me demander ce que je vais faire
plus tard. Evidemment avec la maladie que j'ai
quelles activités y a-t-il dans votre service?
moi j'aimerais apprendre à dessiner avec un
vrai professeur.
quelquefois je en peux plus, je suis déprimé, cela me
rend nerveux et je ne sais pas ce qui pourrait me
calmer. Quand je parle avec Monsieur Lombard cela
va mieux. j'aimerais voir quelqu'un en particulier
mais plus souvent. A l'hôpital j'ai le cafard parce que je
suis pas bien et je prends trop de médicaments. J'ai
horreur de la Pyostacine
Si vous me suiviez comme Mr Griscelli est-ce que je
pourrais venir vous voir de temps en temps? pour parler.
quand on est malade on aime bien garder toujours

la même infirmière. on sait qu'elle nous connaît.
- ça je ne supporte pas de voir les petits souffrir. surtout
Rachid, parce qu'il a pas de visite. je que je prends devient
de la drogue par voie locale et intraveineuse

*Le 4 mars 1987, Fabrice dicte ce texte à sa mère qui le retranscrit
dans son journal. Malgré les difficultés qu'il a à écrire, il a rajouté la
dernière phrase de sa main.*

D'emblée nous avons l'impression que Fabrice n'est pas à sa place « comme malade ». Il le ressent puisqu'il déclare : « Ici, c'est un service de cinglés ; on est enfermé, la preuve puisqu'on ne peut pas ouvrir les fenêtres. »

Dans la salle de loisirs sont accrochés aux murs des poèmes, des contes écrits par les jeunes. Ils sont chargés de désespoir, de colère, de désillusion et de mort. C'est une ambiance qui inquiète Fabrice et le fait s'interroger : « Moi aussi, j'ai des raisons de me suicider et je ne le fais pas, pourquoi ? »

Ce qui étonne d'emblée ici, c'est combien les jeunes se racontent facilement. Récits sans pudeur de vies déjà lourdement grevées.

Entre eux, c'est la solidarité, ou l'ignorance.

Mon mari et moi-même pensons que la lutte de Fabrice n'a pas besoin d'être amplifiée par la vision angoissante de ces adolescents. Dès les premiers jours, Fabrice s'est fait un camarade et s'apitoie sur le roman noir que l'autre lui a raconté.

Nous faisons part de nos réflexions à un médecin qui a participé au changement de prise en charge médicale. Il nous rassure en nous faisant remarquer que le résumé théorique magistral du service des adolescents sur le cas de Fabrice est remarquable. Cette vérité nous rassure à moitié.

Cette étude approfondie, nouvelle, du « cas » va mettre en surface une anomalie non explorée jusqu'à maintenant. Fabrice s'est toujours plaint de ses difficultés à avaler, à s'alimenter. Mais ses troubles étaient si nombreux qu'on ne pouvait examiner tous ses organes... Il n'en finissait pas de mâcher ; il s'étranglait souvent et ne réussissait pas à avaler des cachets. Nous avions pris l'habitude de lui préparer une nourriture fluide, de concasser ses médicaments, et de rester stoïques devant ses étranglements spectaculaires.

A la suite de l'analyse médicale, une investigation est demandée à l'hôpital Necker. On va découvrir que Fabrice est atteint d'un rétrécissement très important de l'œsophage.

Combien de fois l'avait-on bousculé, grondé, pour la prise des médicaments, accusé de comédie! Certains avaient mis ses difficultés sur le compte d'un malaise psychologique.

L'opération de l'œsophage est décidée pour le mois de septembre 1987. Nous fûmes reconnaissants au service des adolescents d'avoir pris au sérieux les interrogations de Fabrice, lors de son questionnaire médical.

Malheureusement, la prise en charge s'avéra inadéquate pour le cas personnel de Fabrice. Et le lieu de soins est trop éloigné de notre domicile. La précaire liberté acquise en utilisant les services du centre de Transfusion de Versailles disparaît. On nous demande de faire les perfusions en hospitalisation pour des commodités administratives et d'utiliser les compétences des spécialistes attachés aux consultations. Cette organisation est contraignante et prend du temps. Elle oblige Fabrice à abandonner ses loisirs du mercredi auxquels il tient énormément.

Nous pensions avoir la vie facilitée, nous sommes davantage assujettis.

Des obstacles réels apparaissent lors des hospitalisations en crise aiguë de surinfection. La prise en charge des soins locaux s'avère défectueuse et c'est grave pour l'état de Fabrice.

Les infirmières ne sont pas habituées à la technique des soins dermatologiques intensifs, ni à l'urgence de l'exécution et à la rigueur indispensable. Une pénurie de personnel explique certainement la lenteur de la mise en place des traitements. La communication entre les spécialistes et le service lui-même s'opère avec un temps de latence préjudiciable.

Le moral de Fabrice en souffre.

Nous espérions une approche nouvelle de la maladie et peut-être inconsciemment rêvions-nous qu'une thérapeutique active allait surgir de l'inconnu. Nous songions, avec Fabrice, à une possible greffe de moelle osseuse ou à un quelque autre traitement curatif de choc.

Pour cette raison, nous demandons au service de nous laisser consulter le professeur S., savant de notoriété nationale et mondiale en matière d'immunologie. Nous ne voulions négliger aucune piste. Le rendez-vous a eu lieu à l'hôpital Saint-Louis en décembre 1987. Le grand patron prononce un verdict brutal et irrémédiable. Il n'y a rien à espérer dans l'état actuel de la science. Fabrice ne supporterait pas une greffe de moelle.

Il dit à Fabrice qu'il parlera de sa maladie à l'étranger et qu'il le reverra dans six mois.

Fabrice est mort quatre mois plus tard.

Cette consultation a refroidi nos espoirs. Fabrice sait qu'il est condamné sans appel. Dans la période d'hésitation et d'impatience qu'il traverse, c'est une dure réalité.

Une nouvelle hospitalisation chez les adolescents confirme l'erreur d'aiguillage et la carence des soins de la peau. A Bicêtre, ils ne comprennent pas que cette tâche rébarbative et peu gratifiante est vitale. Par cette brèche, le mal se propage à une vitesse incontrôlée.

Pour essayer de vaincre les résistances et d'expliquer le malentendu, nous écrivons au patron la réalité de la situation et demandons un rendez-vous. Dialogue de sourds.

Ce service n'est pas équipé pour une attaque agressive de la maladie de Fabrice, mais surtout spécialisé pour faire face aux problèmes psychologiques des adolescents. Fabrice souffrait d'une pathologie exceptionnelle qui exigeait une surveillance draconienne.

Le chef de clinique voulait guérir avec des mots. Il

n'avait pas repéré que déjà Fabrice marchait au ralenti dans sa tête et que son écriture avait des déficiences. Nous, parents, avions des points de comparaison, des repères que nous vivions dans notre chair.

Le service d'adolescents a mal supporté notre abandon. Ils nous ont posé la question de confiance et nous avons dit notre vérité. Ils n'ont pas compris que la négligence des soins était grave car toute la souffrance, la honte, la détresse de Fabrice en dépendaient. Cela, nous ne pouvions l'admettre.

C'était un bon service dans sa spécialité mais il ne convenait pas à la prise en charge de la multiplicité des attaques déclenchées par un déficit immunitaire grave.

VIII

Saint-Gervais-les-Bains, juillet 1987
Le Chesnay, avril 1988

L'été 1987 va arriver. Notre dernier été avec toi, Fabrice, mais le ciel ne nous a pas prévenus. Malgré ses dix-huit ans, Fabrice navigue entre l'enfance et l'adolescence.

Comme d'habitude, j'ai feuilleté les imprimés des maisons médicales afin de trouver un endroit propice au repos et au changement d'air qui pourrait améliorer son état.

Une collègue responsable des placements à la Sécurité sociale me recommande un home familial du plateau d'Assy, en Savoie. Ce placement pourrait s'accompagner d'une cure au Fayet, à Saint-Gervais-les-Bains. Cette perspective enchante Fabrice qui a éprouvé un réel soulagement physique et moral lors de ses séjours de traitement à La Roche-Posay.

Étant donné le demi-échec du séjour en maison d'étudiants à Vence l'année précédente, mon mari et moi prévoyons de louer un studio pour être à côté de lui pendant les huit premiers jours.

Nous partons ensemble. C'est un long voyage pour arriver à la maison de repos, qui donnant directement sur la rue principale, ressemble à un hôtel. Elle est agrémentée, derrière, d'un parc boisé.

Un médecin supervise la bonne marche de l'établissement. Nous constatons que les aspects maladifs de Fabrice ont été soigneusement étudiés à l'avance. La liaison avec la cure est déjà établie et un dermatologue de l'établissement thermal se chargera de l'application du traitement.

Un taxi emmènera Fabrice le matin au Fayet et le ramènera, après les soins, à l'hôtel.

Quel soulagement pour nous, après nos différents déboires, de découvrir cette parfaite organisation.

Fabrice s'installe dans sa chambre. Il est un peu ému mais content. Sa fragilité et sa peur du regard des autres sur lui n'en font pas un adulte à part entière.

Le soir, nous le retrouvons à la salle à manger qui est partagée en deux zones. D'un côté une alimentation traditionnelle est servie, de l'autre la salle est réservée à ceux qui ont un régime. Fabrice appartient à cette dernière catégorie.

La découverte des pensionnaires n'est pas banale. Fabrice est le benjamin. Il y a deux ou trois adultes de trente ans. Pour les autres, la moyenne d'âge frise la cinquantaine ou davantage. Il y a beaucoup de gens obèses ou très maigres et nous comprenons mieux pourquoi l'organisation des repas est si bien agencée. C'est une maison spécialisée pour les convalescents et les personnes atteintes de troubles de la nutrition.

Fabrice est bien accepté, mais nous ne pensons pas qu'il pourra se distraire et s'épanouir dans cette atmosphère austère pour son âge.

Les huit premiers jours sont délicieux. Fabrice a vite apprivoisé le chauffeur de taxi, un jeune moniteur de ski, qui l'emmène à la cure. Là, le médecin l'attend. On lui a fourni une carte de priorité. C'est une faveur appréciable quand on voit les files impressionnantes des curistes qui font la queue.

L'après-midi, nous découvrons les sites merveilleux des alentours. Nous sommes montés au pic du Midi, avec un soupçon d'inquiétude car l'altitude a assommé Fabrice et nous avons dû redescendre en hâte. Mais que c'était beau, malgré tout!

Nous avons pique-niqué devant la mer de Glace et avons trempé nos pieds dans les lacs qui s'étalent en bas des montagnes. Nous avons pris des chemins de forêt et admiré les cascades qui chuchotent parmi les rochers.

La plus émouvante de nos promenades nous emmènera en Suisse au barrage d'Emosson. Ces moments exceptionnels vécus par Fabrice, son regard admiratif et son sourire augmentaient notre joie. C'était, pour nous, une victoire que de lui faire, même furtivement, oublier son mal.

Pour le 14 juillet, le centre organise une fête. Les estivants attendent le **feu** d'artifice avec impatience, car les distractions sont **rares**. Fabrice est le plus excité de tous. Les pensionnaires se sont donné rendez-vous sur la place du village pour être proches du spectacle.

Après le feu d'artifice, salué par des applaudissements, des couples prennent place sur la piste de danse.

Alors un groupe de femmes, légèrement obèses, les pommettes rebondies, leurs petites bouclettes bien enroulécs autour dc lcur front, souriantcs, sont venues vers nous. C'était les compagnes de table de Fabrice. L'une d'elles lui a proposé de l'emmener sur la piste. Il a rougi. Cette personne avait la gaieté communicative des bonnes vivantes.

— Je t'avais promis de t'apprendre à danser le twist! lui a-t-elle dit.

On l'a encouragé en lui montrant que tout le monde s'agitait sur l'estrade et que personne ne ferait particulièrement attention à lui. Il est parti sur la piste. Il s'est mis à danser avec sa forte compagne et bientôt ils ont ri tous les deux à gorge déployée.

Ce spectacle simple mais inattendu nous a bouleversés. Sous le ciel étoilé, à deux milles mètres d'altitude, accroché aux bras replets et souples de cette femme qui n'a pas oublié sa promesse, notre fils vit un instant de bonheur. Il s'applique à copier les figures qu'elle lui enseigne. Elle le fait rire.

C'est resté pour moi un souvenir inoubliable.

Avec mon mari nous avons laissé Fabrice ramasser « son petit bonheur » au bord de son chemin si différent de celui des autres.

Il a fini par danser tout seul. Son corps se pliait enfin à ses caprices. J'ai voulu profiter du moment avec lui et je suis allée le rejoindre. Nous avons dansé ensemble. C'est lui qui nous a communiqué son entrain. Ce bal du 14 juillet 1987, au plateau d'Assy, sera la dernière soirée dansante de Fabrice, sa dernière fête.

Mon mari doit nous quitter pour reprendre son travail à Paris. Il me reste quelques jours à partager avec Fabrice. Une après-midi nous nous installons dans le parc, car il veut dessiner la façade de la maison côté jardin. Elle a du charme avec ses rosiers grimpants collés au mur. Étalés sur la table en fer, les pastels et les crayons attendent le choix de l'artiste. Mon fils s'est concentré et a froncé les sourcils.

Puis il lève tristement son visage vers moi :.

– Maman, je ne peux plus dessiner!

J'ai pris la feuille de papier et j'ai effectué le croquis de la maison et des arbres. Je lui ai laissé passer les couleurs.

J'avais pensé partir pour le responsabiliser, afin qu'il commence à devenir adulte. Mais il était inscrit quelque part que le moment n'était pas encore venu.

Je ne partirai donc pas sans lui à Versailles. Je suis allée m'installer à Annecy chez des parents qui m'ont offert leur hospitalité et leur affection.

Avec lui, j'ai continué nos escapades, nos excursions, nos découvertes de la Savoie. Toujours complices. Il m'a offert les fleurs qu'il cueillait dans la montagne et les fleurs de tendresse que lui seul pouvait faire pousser. Ces bouquets-là, je savais bien qu'aucune autre femme ne tendrait jamais les bras vers lui pour les recevoir.

La cure s'est achevée. Elle lui a fait du bien. Une autre période de vacances est arrivée. Nous allons retrouver nos amis à Royan.

Mais son état se détériore très vite. Le sable n'améliore pas les plaies, il marche lentement, il souffre en marchant. Les distances qu'il est capable de parcourir se raccourcissent.

Notre cercle d'amis est là, silencieux mais efficace. Ils s'arrangent pour envoyer leurs enfants organiser des jeux avec Fabrice si nous avons une sortie organisée le soir. Francine, une amie médecin, sert d'intermédiaire entre l'hôpital du Kremlin-Bicêtre à Paris, pour communiquer et essayer d'harmoniser le traitement. L'hôpital de Royan a pris le relais des perfusions. Mais Fabrice m'inquiète...

Dans notre groupe, les légendaires pique-niques sur la Côte sauvage sont de tradition. Nous n'y faillirons pas cette année, mais il faut porter Fabrice qui traîne les pieds dans le sable mou.

Nous l'installons à l'ombre des pins sur une couverture. Il n'est jamais seul. Il n'a pas envie d'être seul.

Parfois, mon mari l'emmène sur un circuit de kart. Il ne prend plus les virages et fonce dans les bottes de paille, au bout de la ligne droite. Ses réactions sont anéanties. En vélo, il fait des arabesques sur la route. Les parties de tennis avec son père lui font plaisir mais elles durent peu de temps. Il faut envoyer la balle à portée de sa raquette.

Ce jour-là, je suis partie me baigner seule. Il est venu me rejoindre sur la plage à l'endroit où nous avons une tente commune qui sert de point de ralliement à notre groupe d'amis. J'étais dans l'eau, j'aime nager longtemps.

Il m'a cherchée sans succès. Francine l'a rencontré. Il était affolé, paniqué. Il s'inquiétait de mon absence, il croyait que je m'étais noyée.

Tous les signes sont alarmants. Nos amis, notre famille nous protègent, nous rassurent. Mon jeune frère Patrick, un joyeux luron qui demeure dans une villa au cœur des bois de Saint-Georges-de-Didonne, bouscule gentiment Fabrice.

Peut-être continuent-ils à se faire des farces puisque Patrick a rejoint Fabrice l'année suivante. S'ils sont plus heureux à deux dans leur nouveau monde, je pardonne à mon frère de nous avoir quittés précipitamment, lui aussi.

Une partie de ma famille a jeté l'ancre à Saint-Thomas, un petit village en remontant vers Bordeaux par la côte. Nous nous voyons souvent. Toute cette chaleur environnante nous insuffle la vie, nous redonne courage. Il ne faut pas avoir honte d'avoir besoin des autres.

L'été s'écoule, mais le doute demeure. Un papillon s'est posé sur ma main, il s'en va, et puis revient. Je pressens qu'il veut me donner un message : « Fabrice baisse, vous êtes-vous préparés à ce qui peut arriver ? »

Le mois de septembre est venu. Nous repartons au Chesnay. Fabrice est attendu à l'institut du Bel Air. Notre grande maison du Chesnay, nous l'avons achetée après la vente de Kercabellec. Mon mari y a fait le peintre et le maçon, je me suis chargée de la restauration des boiseries, et de la tapisserie. Le jardin en friche est devenu une pelouse, orgueil de mon époux. J'ai fait sortir de terre campanules, clématites et autres fleurs.

Un lilas a grandi et un sorbier s'est épanoui pour raviver nos souvenirs de Kercabellec. Cette maison, nous l'avons choisie et refaite surtout pour Fabrice. Christophe, devenu adulte, a trouvé un emploi et vient de nous quitter. Son frère devra jouir, lui, d'une liberté surveillée.

Pour cela, nous avons prévu d'aménager au deuxième étage un appartement pratiquement indépendant. Fabrice pourra s'y installer en adulte dès que ce sera possible. Il le sait. Mais la raideur de l'escalier, les difficultés qu'il a à marcher et son extrême fatigue l'empêchent d'en disposer complètement.

Il aime toutefois s'y réfugier. C'est un endroit magique, un antre où il oublie sa condition, surtout quand il y retrouve son frère, qui revient souvent à la maison.

Fabrice a toujours été déçu par ses échecs scolaires. Pour lui, Christophe était l'étudiant qui progresse et change de classe régulièrement. Il se rendait compte que son frère suivait un cursus normal pendant qu'il était balloté de centre en centre et ne s'y plaisait guère.

La présence de Christophe le rassurait et le réconfortait. Celui-ci essayait de le convaincre que chacun avait une voie différente et que le principal n'était pas d'être comme les autres, mais d'être soi-même et bien dans ses actes, dans sa progression, dans son métier.

Christophe essayait de lui expliquer que sa maladie n'était pas un obstacle à la vie et au bonheur. Il essayait d'être toujours gai et optimiste avec lui :

« Je le considérais comme un frère normal, sans problème, sans voir ses limites. Certaines fois, j'exagérais un peu mais il le sentait et donc il me pardonnait. Quand il montait dans ma chambre, il regardait s'il n'y avait pas quelque chose de nouveau, il était curieux.

Nous jouions souvent à l'awelé, jeu africain de stratégie, Fabrice maîtrisait bien le système.

Parfois je forçais un peu le destin du jeu et Fabrice gagnait. Il était content, et j'étais heureux qu'il le soit.

Son jeu préféré c'était un jeu vidéo que l'on branchait sur la TV. Dès qu'il était seul il s'exerçait. Ensemble on faisait des batailles acharnées. Ce jeu lui permettait de se mesurer aux autres et de les battre. Là il se sentait leur égal. »

Dehors, sous l'auvent restauré, la table de ping-pong. Et dans le garage, son beau vélomoteur rouge. Il en profite très peu, mais il existe. Nous avons cédé à sa demande, et à celle de ceux qui le soignaient, pour l'acheter. Fabrice désirait un vélomoteur depuis qu'il avait seize ans. Comme son frère, auquel nous en avions acheté un à cause de son souffle court qui le gênait dans ses déplacements.

Mon mari et moi étions opposés à ce genre de locomotion, dangereux en agglomération. De plus, nous avions des réserves sur les réflexes de Fabrice et son sens de l'équilibre. Mais Fabrice restait sourd aux arguments de mon mari, qui lui parlait de prudence et de sécurité; il voulait, par le symbole du vélomoteur, sortir de l'enfance, s'affirmer, prouver à son père qu'il pouvait être aussi raisonnable que Christophe, son modèle.

Il n'ignorait pas qu'il aurait du mal à s'en servir, mais le vélomoteur, c'était une revanche, une victoire sur la route de sa vie, où la maladie plantait partout des sens interdits.

Finalement, mon mari l'emmena choisir « son » vélomoteur. Il était convenu qu'ils iraient ensemble s'exercer dans le parc de Versailles. La joie et la fierté de Fabrice en furent immenses.

Le 7 septembre 1987, une fois de plus, Fabrice est hospitalisé au Kremlin-Bicêtre pour une surinfection qui active ses douleurs. Le séjour ne l'améliore guère. Il retourne au Bel Air. J'ai repris mon travail.

Nous nous levons très tôt pour pouvoir assurer, sans précipitation, les gestes habituels de la vie, le bain, les soins, la prise de médicaments.

Ensuite, je dépose Fabrice devant son institution. La portière fermée, je le regarde s'éloigner. Il se retourne et me fait un signe de la main. J'ai le cœur serré à chaque fois.

La dilatation de l'œsophage est programmée pour le 25 septembre en service O.R.L., à l'hôpital Necker. J'insiste pour que l'intervention ait lieu sous anesthésie générale. Nous gardons un trop mauvais souvenir des difficultés rencontrées par les manipulateurs, lors des bronchoscopies qu'il a déjà subies. Je ne supporte plus l'idée qu'on puisse lui faire du mal et qu'on le traumatise inutilement. Le professeur acquiesce. Il est compréhensif et conciliant.

Fabrice voudrait profiter de ce retour à l'hôpital Necker-Enfants-Malades pour revoir « son ami » le professeur G., « il a des choses à lui dire ». J'effectue la démarche nécessaire auprès du secrétariat; personne ne répondra et ce sera une profonde déception pour lui.

L'intervention amène une nette amélioration de l'alimentation. Fabrice découvre avec délice et étonnement le pouvoir de manger et d'avaler sans angoisse. Il en profite et nous nous amusons de sa voracité.

Son répit est de courte durée. Un panaris se déclare qui le fait beaucoup souffrir. Il ne réagit pas au traitement. Des aphtes apparaissent dans sa bouche. En octobre, il est hospitalisé à nouveau dans le service des adolescents.

Son retour à la maison s'accompagne d'une fièvre persistante et d'une infection oto-rhino-laryngologique importante.

Une remise en cause de la prise en charge paraît souhaitable. L'idée d'abandonner ce lieu de soins est émise en accord avec Fabrice, décidé à se faire soigner en adulte à l'hôpital Mignot du Chesnay, plus proche de notre domicile.

La bataille change d'horizon. La passation du pouvoir médical s'effectue sans heurt, grâce à l'intervention du médecin directeur du centre de transfusion dont Fabrice est le protégé. Il va nous aider à organiser une chaîne médicale pluridisciplinaire. La plupart des participants connaissent déjà mon fils. Ils vont rassembler leurs compétences et s'associer au combat.

Fabrice franchira les portes de l'hôpital Mignot en novembre. La fièvre persiste et des douleurs articulaires sont apparues. On pense à un abcès camouflé mais les examens n'apportent pas un éclairage nouveau.

Le surveillant qui s'occupe des liaisons médicales a pris son malade en affection. La porte de son bureau est toujours ouverte et nous apprécions les conversations échangées avec lui.

La proximité de notre maison favorise le soutien que Fabrice réclame. Le bilan est terminé, le retour à la maison soulage la tension.

Mais Fabrice est fatigué. Il n'arrive plus à se lever le matin. Son corps vit au ralenti. Jean-Claude Lombard, le psychologue et ami du Bel Air, nous conseille de chercher un infirmier qui puisse assumer les soins du matin. La providence m'envoie un gaillard dont la taille est impressionnante. Deux mètres de carcasse solide et dévouée.

Il me propose de soigner Fabrice le matin et d'assurer sa conduite au centre. Cette organisation me permet de continuer à travailler.

Une angoisse m'oppresse, une crainte s'installe dans mon esprit, mais je la repousse. Je m'accroche à mes obligations pour me convaincre que tout est comme avant. Si je m'arrête c'est que Fabrice va plus mal, très mal. Je me persuade que l'organisation mise en place est la meilleure.

Pourtant un matin, l'infirmier me parle : « Vous savez que l'avenir de Fabrice est incertain ? Vous êtes-vous préparée ? »

C'est le message de mon papillon de cet été. Je sais.

Quelques jours plus tard, Fabrice a besoin d'aller chez le dentiste, je l'emmène chez mon beau-frère. Dans la rue, il me prend le bras. Il se serre contre moi. Nous sommes soudés pour mieux résister au vent, à la tempête qui menace. Nous la sentons se lever mieux que quiconque. Ce jour-là, Fabrice n'a pas pu lever la jambe pour s'asseoir sur le siège médical. Mon beau-frère a dû l'aider.

En rentrant du Bel Air, il me demande de l'emmener au parc du château de Versailles. C'est une promenade qui lui a toujours fait plaisir, il sait vibrer devant la beauté d'un paysage.

Nous prenons la voiture pour faire le tour du Grand Canal. Il me montre l'endroit où il venait faire naviguer son bateau télécommandé avec son père.

Il fait un soleil rayonnant et la lumière fait briller les arbres et l'eau. Je ne lui propose pas de descendre de la voiture pour faire quelques pas. Les bras serrés contre son corps, le blouson de cuir noir qu'il s'est offert pour ses dix-huit ans remonté sous son cou, il est raide comme un pantin. Son regard perçant mitraille le paysage. J'ai l'impression qu'il sait que nous emmagasinons des souvenirs. Ses silences sont lourds des pensées que nous partageons. C'est le temps des renoncements sans retour. J'ai mis ma main sur la sienne. Il regarde les rayons du soleil à travers les feuilles. Il pense peut-être déjà à une autre lumière. Les barques du canal voguent doucement sur l'eau.

Près du Grand Trianon, en bas de l'escalier, nous nous sommes arrêtés. Il m'a rappelé qu'il venait faire courir là sa magnifique voiture bleue télécommandée offerte par Jean. Ce cadeau que nous avions jugé trop luxueux! Il en était si fier! Lorsqu'il s'en servait, les spectateurs accouraient. Fabrice était heureux : pour une fois on l'enviait!

Il me parle de vélomoteur. De celui de Christophe. Du sien. Des instants de joie intense qu'il a connus avec son frère lors de leurs randonnées. Cette promenade nostalgique sera la dernière. Ni l'un, ni l'autre, je crois, n'avons pensé que tout cela pouvait continuer. Entre nous, la vérité avait tellement l'habitude d'être dite que nous ne pouvions nous mentir. Il savait qu'il était mal, je savais qu'il savait, il savait que je savais.

Je savais qu'il ne se promènerait plus. Nous n'avons pas fait deux fois le tour du parc, car il était trop fatigué.

... Maintenant, plus souvent, surtout si mon mari n'est pas encore couché, Fabrice franchit le seuil de notre chambre. Il s'approche doucement et avec son regard émouvant il me demande s'il peut rester un moment à côté de moi. Il sait qu'on ne dort pas avec sa mère, je le lui ai déjà expliqué.

Mais avec lui tout est différent. Je lui accorde le moment qu'il vient me réclamer. J'ai la conviction que l'amour que je lui porte l'aidera à avoir la force de supporter l'ouragan qui approche. Ce n'est pas de la faiblesse, mais de l'attendrissement, et de la lucidité.

... Des amis sont venus nous voir avec leurs fils, ami de Fabrice. Je leur ai proposé de brancher le jeu électronique sur la télévision. Christophe a initié son frère à cette technique et celui-ci est fier de sa réussite en ce domaine. Ils aiment bien s'y distraire.

Fabrice n'a pas voulu cette fois y jouer, il a dit qu'il était trop fatigué. Il a demandé sérieusement à cet ami :

– Qu'est-ce que tu vas faire plus tard ? Moi, je m'inquiète pour mon avenir !

... Fabrice aime jouer au ping-pong et il y obtient une certaine réussite. Sa faiblesse provient du fait qu'il se déplace peu et lentement. C'est davantage lié aux plaies qui subsistent dans les plis, à l'aisne en particulier, qu'à un manque de tonus. Il a acquis une sorte de réflexe pour que la douleur soit ménagée sans qu'elle apparaisse à autrui. Il ne veut pas provoquer la pitié. Son niveau l'amène à jouer la finale de la catégorie « moyen » de la fête du Bel Air. Il y affronte une institutrice qui joue nettement mieux que lui. Il fait une bonne partie, devant un public qui lui est favorable jusqu'au bout; les jeunes préfèrent toujours David à Goliath. Son adversaire ne lui fait aucun cadeau, ce qu'il aurait sans doute mal vécu.

Il est donc un vrai second. Une grosse médaille lui est remise, qui ne relève d'aucun privilège. C'est pour lui l'essentiel. Je l'attends dans le jardin, à la sortie. De loin, je le vois arriver. Il sort le dernier et porte fièrement dans ses mains son écrin. Il marche lentement. Trop lentement. Je comprends alors qu'il ne peut plus courir.

Cet épisode se situe à la fin de l'année 1987, peu avant que Fabrice ne décline au point de ne plus pouvoir fréquenter l'établissement. C'est à la maison qu'une photo du match lui sera apportée. Si elle fixe un bon moment de vie, elle appartient déjà au passé. Fabrice vient d'entamer une lutte d'une autre importance.

La dernière fois qu'il jouera au ping-pong, c'est contre son frère. Et c'est Christophe qui abandonnera la partie, à cause de son manque de souffle.

Mais ce jour-là, j'ai remarqué que Fabrice jouait de temps en temps de la main gauche. Ce détail m'a laissée perplexe. Fabrice jouait pour gagner, et ce n'était pas par jeu qu'il se permettait ces variations. J'en ai déduit qu'il avait des défaillances du côté droit.

Dès le lendemain, je l'ai emmené à l'hôpital signaler ce fait nouveau. Deux médecins que je connaissais l'ont examiné et m'ont rassurée, prétextant qu'il agissait ainsi pour soulager la souffrance de son aisselle. L'avenir tout proche allait me démontrer que mon instinct maternel ne me trompait pas. J'avais, au plus profond de moi, bien décelé le commencement du drame final.

... Les vacances de Noël arrivent. Nous descendons en Charente dans la propriété de famille de mon mari.

Mon beau-père y vit seul, depuis la mort accidentelle de sa femme. Handicapé, il ne quitte plus son lit depuis cinq ans.

Madeleine est là pour s'occuper de lui, aidée d'une équipe médicale. Madeleine est la première qui ait tenu Fabrice dans ses bras, lors de sa naissance. Au fil des années, elle a souffert comme nous de ses crises. Un coin de son cœur est réservé à Fabrice, auquel elle confectionne des petits plats compatibles avec son régime alimentaire. Pour elle, la nourriture, c'est la santé. Lorsque Fabrice met du temps à finir son assiette, elle le rabroue, d'une voix chargée d'accents charentais. Elle met un point d'honneur à ce que Fabrice, avec elle, reprenne du poids. Fabrice résiste. Dans ce tendre affrontement, chacun y va de son arme favorite : Madeleine bougonne, et, au plat délaissé, en substitue un autre, Fabrice use de son regard noir...

Précieuse Madeleine dont l'aide me permettait de me reposer, et qui sait combien je lui en suis reconnaissante! Mais pour ce Noël 87, la « bagarre » n'a pas lieu. Fabrice ne réagit plus. Désarmé, et désarmant, il a renoncé à toute agressivité. Il se déplace de moins en moins. Il reste auprès de mon beau-père, paralysé dans son lit. Ce handicap, mon beau-père l'accepte en disant qu'il n'a pas le droit de se plaindre : son petit-fils lui sert d'exemple. Malgré sa maladie, il ne se coupe pas du monde. Il lit, regarde la télévision, converse avec ses visiteurs. Une foi à ébranler les montagnes le soutient.

Fabrice, qui l'aime beaucoup, admire son courage. Il se souvient des promenades avec la vieille camionnette 2 CV que son grand-père lui laissait conduire avec inconscience. Aujourd'hui, ni l'un, ni l'autre ne pourrait renouveler cet exploit. Il approche un fauteuil à côté de son lit. Ils se parlent, ils regardent la télévision...

Les vacances terminées, nous rentrons au Chesnay.

L'infirmier m'avertit gentiment qu'il ne peut plus assurer les soins, ni la conduite au Bel Air. Fabrice est trop lent et n'arrive plus à s'habiller seul. Il se fatigue de plus en plus.

Encore une fois, Jean-Claude Lombard intervient et se propose de venir lui-même le chercher à la maison. Un petit répit, une solution pour gagner du temps.

... Ce soir-là, j'ai fait couler le bain. Fabrice est debout dans la baignoire. Il me regarde et c'est atroce :

– Maman, je ne peux plus me commander !

Je prends le téléphone et j'appelle le surveillant de l'hôpital Mignot. Je lui dis que je suis sûre que Fabrice a une atteinte neurologique. A la dernière hospitalisation, un bilan étendu a eu lieu, mais il n'y a pas eu d'investigation dans ce domaine.

La décision est prise de faire un examen neurologique complet. Il nous reste deux jours avant l'hospitalisation.

Je demande à Fabrice ce qui lui ferait plaisir de faire avant cette date.

– Aller à la campagne pour voir des arbres et des fleurs.

Mes parents nous emmènent à Vernon, dans l'Eure, où habite une vieille cousine.

... Le 2 février, Fabrice est entré à l'hôpital Mignot en tenant mal sur ses jambes. Petit à petit, elles se dérobent sous lui. Il faut le porter pour aller à la salle de bains. Une jeune stagiaire le rabroue :

– Secoue-toi, tu es né fatigué !

Fabrice la foudroie du regard et moi-même en prends un coup au cœur. Les autres infirmières ont la qualité de leur métier. Elles font le maximum pour l'aider. Il plaisante avec elles. Il voudrait s'approprier l'exclusivité d'une gentille petite blonde qui l'embrasse après les soins.

Le grand cube miroitant de l'hôpital Mignot domine Le Chesnay. Quand je pars travailler, son ombre me suit sur la route. Derrière une fenêtre, je sais que brille la flamme vacillante du regard de mon fils.

Alors, pour m'habituer au jour où elle sera éteinte, je lève les yeux au ciel et je parle aux nuages. Je lui parle comme s'il était déjà là-haut.

J'ai besoin des heures de bureau pour discuter avec ceux qui travaillent comme moi et dont la vie continue.

Nous n'avons pas encore les résultats des examens. Cet après-midi, j'arrive à l'hôpital avec ma sœur Chantal. Nous sommes stupéfaites en entrant dans la chambre. Il est là, debout, furieux, en larmes. N'ayant plus d'équilibre, nous nous demandons comment il a pu se lever.

Autour de lui, des feuilles de papier jonchent le sol. Ce sont ses trésors de chansons, et le livret de chant de l'hôpital des Enfants-Malades, qui ne le quitte jamais. Il a tout fait tomber.

– Maman, je ne peux même pas les ramasser.

Ses forces l'ont trahi et son désespoir est profond.

Ma sœur lui promet un classeur plastifié, où il pourra mettre en ordre chaque chanson; cela le calme et lui rend son sourire.

Nous l'aidons à tout ramasser et le remettons dans son lit.

... Un autre matin, il m'accueille avec excitation :

– Maman, ce soir, il y a *Elephant Man* à la télévision et je veux le revoir. Je t'en prie, va me chercher du café.

Ma stupéfaction est à son comble. C'est extraordinaire de voir qu'il veut rester éveillé malgré sa fatigue extrême. Je ne me souviens pas comment il avait eu connaissance du sujet de ce film. Mais, ce qui est certain, c'est qu'il avait énormément insisté pour que nous allions le voir. Une fois encore, il me raconte l'histoire. La fidélité de sa mémoire me surprend. Il se souvient du nom du

« monstre », John Merik, et de sa question posée au médecin : « Pouvez-vous me guérir ? » et de la réponse : « Non. » Mais, surtout, il me décrit la scène où Elephant Man est poussé à se réfugier dans les toilettes de la gare, d'où il crie : « Je ne suis pas un animal, je suis un homme. »

La première fois qu'il avait vu le film, il m'avait dit : « Si je l'avais connu, j'aurais fait comme le médecin, je l'aurais pris à la maison. »

Maintenant, il ajoute : « *Elephant Man,* ce film, je l'aime parce que c'est dramatique. C'est comme pour Amaury qui ne peut se déplacer tout seul parce qu'il a perdu la mémoire. Je n'aurais pas été malade, j'aurais fait médecine. »

Sa cousine Laure vient le voir. Il ne lui parle que du film du soir :

– Tu vois, je suis le portrait d'Elephant Man. Je suis rejeté par ceux qui ne me connaissent pas.

Mon mari arrive, il lui demande encore du café pour ne pas dormir. Le sommeil terrassera quand même son énergie.

... 16 février.

Fabrice est dans les nuages, il ne mange plus. Il se confie à Jean-Claude Lombard :

– Je ne veux plus lutter, je ne veux plus de médicaments, plus de soins, plus de piqûres, rien. Ils me font tous chier. J'en ai marre. La vie me fait chier.

Dans l'après-midi, il est comateux, la température monte à 40°. On l'entoure de glace.

Le lendemain, il arrive à se lever, comme miraculé; il veut regarder la télévision. Il nous dit de partir, il est enfermé dans ses pensées. Le soir, il a du mal à parler. Il me regarde. Il me demande de changer ma chaise de place pour qu'il puisse me voir sans tourner la tête. Ses yeux noirs me fixent intensément d'un regard de détresse.

– Maman, je ferais mieux de crever.

– Comme tu veux mon chéri, tu choisis, mais il faut que tu luttes au moins jusqu'à mercredi pour ta cousine Laurence et ton frère Christophe! Après tu feras ce que tu voudras.

– Maman, moi j'aurais pu me suicider, mais j'aurais fait trop de peine à mon frère. J'aurais pu prendre un pistolet. (Il venait de recevoir la visite de P. dont l'unique frère venait de se suicider.)

J'ai promis à Fabrice de repasser à l'hôpital. Il est 10 heures du soir. C'est le moment où les souffrances diminuent mais où la solitude surnage. Avec un sourire, je suis passée par les urgences, mon allure naturelle a dû faire penser que j'appartenais au personnel. La traversée dans les couloirs silencieux m'émeut et me rappelle des souvenirs de garde de nuit.

Mon fils m'attend. Ses bras ne peuvent plus s'enrouler autour de mon cou, mais ses yeux m'enlacent et mes baisers l'apaisent. Tout doucement, je remonte les barreaux du lit car je crains qu'il ne tombe. La révolte apparaît sur son visage et il s'insurge :

– Si je tombe, qu'est-ce que cela peut faire!

– Tu peux te faire une fracture du crâne et je serai très malheureuse.

Après un refus énergique, il finit par me dire qu'il accepte et que j'ai raison.

Le lendemain soir, je repasse également. Petite chose entre les barreaux, fatigué, il m'attend encore. Ce spectacle me rappelle sa naissance. Déjà à l'hôpital de Girac, il était dans la prison d'un lit en fer.

– Maman, je veux mourir.

– Fabrice, si tu t'en vas, dis-toi que jamais un enfant n'aura été autant aimé que toi. Papa, Christophe, moi, nous t'aimons énormément. Si tu t'en vas, nous serons très malheureux mais tu as le droit de choisir et on t'aimera beaucoup encore.

Il a réfléchi.

– Maman, ce soir oncle Olivier est passé me voir. Il n'a pas autant aimé ses enfants puisqu'ils n'ont pas été malades.

– Il a aimé ses enfants. Mais toi, tu as été super-aimé. Il y a des tas de gens qui t'aiment. Et maintenant, tu vas lutter pour eux. Pour voir Christophe qui revient dans deux jours. Ensuite, tu seras libre de nous quitter. Endors-toi et rêve que tu prends Loïc par la main. Vous volez dans le ciel toujours ensemble. Et moi, le soir, je rêve, je vous vois voler et je suis heureuse de vous regarder.

– Maman, maintenant va-t'en. Tu peux t'en aller.

... C'est aujourd'hui que nous devons avoir le résultat du scanner. Je rentre dans le bureau du surveillant. Le regard d'émotion et de gêne qu'il lève vers moi me suffit pour comprendre. Les résultats nous seront communiqués par le chef de service, mais celui-ci voudrait les faire interpréter par le professeur X.

Le chambre de Fabrice est entrouverte. Il me voit :

– Maman, c'est fini. Je crois que j'ai quelque chose à la tête. Je ne tiens plus debout. Je ne marche plus droit. Tu ne me laisseras pas à l'hôpital...

J'accuse le choc, je ne sais par quel miracle.

– Il n'est pas question que tu restes à l'hôpital. Le temps d'organiser ta chambre, d'avoir une aide et je te ramène à la maison.

Je pense qu'il avait dû entendre une conversation à son sujet.

Mon mari arrive et nous cherchons le médecin. Celui-ci est occupé. Nous finissons par le croiser devant l'ascenseur. Je lui demande le résultat du scanner.

– C'est très mauvais!

J'éclate en sanglots. Il m'interrompt :

– Ce n'est pas le moment de vous effondrer, il va vous falloir beaucoup de courage.

Huit jours sont nécessaires pour envisager la sortie. Fabrice est devenu incontinent : « Regarde, maman, ce que je suis devenu, je pisse au lit ! » Fabrice ne marche plus, son côté droit est paralysé.

Il parle encore de l'essentiel. Sa musique lui manque. Nicolas, mon cousin, lui a apporté une chaîne laser stéréo miniature que Christophe a installée. Ce cadeau lui a fait un plaisir immense. Il écoute de la musique.

Je continue à aller trois demi-journées par semaine à mon travail. J'ai besoin de mes collègues. J'essaie de penser à autre chose qu'à la mort de mon fils.

Il s'avère indispensable, malgré l'aide de Santé Service, de trouver une personne pour me seconder à la maison.

Une fois de plus, j'ai de la chance dans mon malheur. Un matin, une Mauricienne sonne à la maison. C'est Marie-Thérèse. Elle n'a pas de références spéciales mais la profondeur de son sourire et son charme me suffisent. Une complicité s'installe entre nous immédiatement. Son attachement ira loin, puisqu'elle essaiera de me convertir à sa religion, celle des Mormons, dont son mari est un responsable local. Elle m'offre la Bible et, après ses heures de travail, vient me la commenter. Après lui avoir signifié, en plaisantant, qu'elle perdait son temps, elle renoncera à mon salut et le prendra en charge à son compte.

Notre lutte pour le dernier combat va devenir le sien.

... Jeudi 18 février. Fabrice arrive à la maison en ambulance. Personne ne nous a dit ce qui allait se passer ; nous ne savons pas combien de temps il nous reste à vivre ensemble.

Laurence, sa cousine, est arrivée avec Jean-Emmanuel, le filleul de Fabrice âgé de huit mois. Elle attend son cinquième enfant.

— Maman, ça va durer combien de temps ? me demande-t-il avant de se tourner vers Laurence : Maintenant, je vais crever, mais quand ? La Sainte Vierge n'a pas fait grand-chose pour moi !

— Déjà, elle a fait que je sois là avec Jean-Emmanuel, ton filleul, lui répond Laurence. Et puis, on t'aime tous beaucoup. Tu ne dois pas avoir peur, tu n'es pas tout seul.

— Maman, je voudrais qu'on descende un lit pour que tu couches à côté de moi. Et à Laurence : Tu feras attention à l'eau pour Jean-Emmanuel [1].

L'oncle Georges, le colonel en retraite, grand « ami » de Fabrice et père de Laurence, est arrivé de Nice. Il avait écrit à Fabrice : « Je te promets que si tu remontes à la surface, le premier endroit où tu viendras, ce sera Nice... avec tout le soleil du ciel et de mon cœur pour le tien... » Sa tendresse bourrue n'a pas résisté à l'appel de l'adieu.

... Samedi 19 février. Il demande à écouter la musique du film *Mission* et les chœurs de Monteverdi.

Une amie et son frère arrivent l'un avec un violon, l'autre avec une flûte. Christophe, son ami Éric, et Loïc, l'ami fidèle de Fabrice, sont là. Ils s'asseyent par terre et chantent.

Fabrice a son carnet de chants sur la poitrine et choisit les morceaux. Je m'assieds avec eux et je chante. Éric chante faux, nous nous moquons de lui.

... Les jeunes de son mouvement eucharistique viennent régulièrement aussi. On lui apporte des disques et des cassettes. L'une d'elles, *La Vie est belle* le ravit particulièrement. Il l'écoute souvent et nous choisirons un de ses morceaux préférés pour la cérémonie de son enterrement. Ce sont des chansons interprétées par la chorale des Orphelins apprentis d'Auteuil.

... 22 février. Je pars quelques heures à mon bureau pendant que les aides-soignantes sont là. Une de mes amies, Claude, me remplace, Fabrice l'aime bien.

1. Une sœur de Jean-Emmanuel s'est noyée dans la rivière qui coule près de la maison familiale en Charente.

Ce jour-là, il dit tout à coup :

– Je veux mourir mais je veux maman.

A l'heure du déjeuner, j'essaie de lui faire avaler quelque chose : « Maman, c'est vrai que j'en ai marre, marre, marre et que je veux mourir. »

... Le directeur de l'institut du Bel Air vient le voir. Il est content.

– Je ne tourne pas rond. J'ai envie de monter là-haut, dit-il en dressant le doigt vers le ciel.

... Jean-Claude Lombard vient régulièrement. Fabrice le réclame et en a besoin : « Je veux aller retrouver Loïc. Je veux mourir, je ne peux plus supporter toutes ces souffrances. J'ai rêvé à ma mobylette. Je voudrais une chaîne antivol et deux rétroviseurs. »

... Samedi 27 février. Cette fois-ci, c'est moi qui ne peux plus marcher. J'ai une périarthrite de la hanche déclenchée probablement par le fait de dormir sur un matelas à même le sol. L'arrêt de travail forcé me convient. Je marcherai quelque temps avec des béquilles. Je m'immobilise au chevet de mon fils.

Christophe est avec nous pour quatre jours. Il fait manger son frère, lui choisit des disques.

... Ce jour-là, nous ne saurons jamais comment Fabrice a réussi à se lever et à s'enfermer dans les toilettes. A bout de forces, il a appelé au secours. Christophe a essayé de le calmer, de lui dire de fermer les yeux pour ramasser toute son énergie dans ses mains afin d'ouvrir le verrou. On a entendu un bruit sourd et il est tombé. Christophe a défoncé la porte. Fabrice, recroquevillé, pleurait : « Vous allez voir les dégâts. » Christophe a pris son frère dans ses bras et l'a emmené dans la baignoire. Il lui a parlé, l'a consolé et l'a remis dans son lit.

Les jeunes sont revenus chanter. Cette fois, avec carnets de chants et guitare. C'est Marie-Pierre la guitariste. Elle a connu Fabrice au centre culturel du C3M. Emmanuel, étudiant en médecine, l'accompagne. Monika, harpiste, lui a apporté des perce-neige qu'elle est allée cueillir dans le parc du château.

Fabrice demande à réentendre « les vieilles chansons françaises ». C'est une marotte de Christophe. Cela doit réveiller ses souvenirs d'enfance. Ils ont tellement ri du « cul sur la commode » et autres chansons montmartroises offertes par tante Marianne pour la profession de foi de Christophe ! Celle-ci avait répondu au désir de son neveu mais n'avait pas écouté le disque. Elle rougit du contenu quand on le lui fit entendre, pensant avoir donné des comptines bien traditionnelles !

Le directeur du Bel Air lui a apporté un casque très perfectionné qu'il peut brancher sur sa chaîne. Quelques jours plus tard, je lui propose de lui installer. Il me répond :

– Je ne peux plus l'entendre. Christophe l'a emporté aux Sables-d'Olonne.

C'est curieux car le casque est en évidence, dans sa boîte, devant ses yeux.

Avec son doigt, il me désigne un objet posé sur la table. C'est la télécommande de la chaîne que Nicolas lui a offerte à l'hôpital. Il veut le toucher. Tout ce qu'il fait m'attendrit.

Il écoute les *Concertos brandebourgeois*, demande Pierre Perret, Balavoine, Cabrel, Lama...

... L'équipe d'aides-soignants vient le matin. Il faut le porter dans son bain. Lâchement, je fuis, je m'en vais. Je ne peux plus entendre ses cris de douleur. Marie-Thérèse me remplace avec une merveilleuse attention.

Nos amis sont très présents.

Il y a les fidèles de Royan qui habitent dans la région. Fabrice les connaît bien et les aime. Annie lui fait des visites régulières après son travail. A la maison, ils passent le soir, avec des petits plats pour que nous ayons l'envie de manger. Les gestes permettent de repousser la détresse.

Bernard, le potier, vient le voir après son cours du mercredi au centre culturel du C3M. Il reste seul avec Fabrice; ils se regardent.

Jean-Claude Lombard continue à lui donner des nouvelles du Bel Air et tente de lui faire accepter la grande séparation.

Nicolas est venu lui donner des nouvelles du Pôle. Il avait téléphoné pour annoncer sa visite et le visage de Fabrice s'était illuminé de joie : son « héros » ne l'avait pas abandonné...

... La chambre de Fabrice est devenue un lieu de rencontres musicales et d'amitié. Cette chaîne de solidarité fait naître parfois chez nous, ses parents, un sentiment de jalousie de ces heures comptées que nous sommes obligés de partager. Nous aimerions en être les privilégiés. C'est déjà un renoncement et une acceptation difficiles. Fabrice appartient aussi à la communauté de ses amis. Notre réflexion nous amène à penser que Fabrice doit aborder la mort dans la joie. Nous comprenons que cette présence est nécessaire et salutaire.

... Mars est arrivé. Plus Fabrice s'épuise, plus ses choix musicaux deviennent sélectifs. Maintenant, pour éviter de le faire parler, nous lui montrons les disques un à un et, de son doigt, il fait son choix.

Il revient à Mozart, Beethoven et, toujours, les chœurs.

Il demande souvent *Mission*, alors que le film l'avait choqué à cause de sa cruauté et des douleurs évoquées.

Le regard de Fabrice devient de plus en plus parole. Tantôt noir, fulgurant, méchant.

— Merde, j'ai pas faim, fichez-moi la paix.

— Dix-neuf ans de vacherie de vie! j'en veux plus. J'en ai marre.

— Maman, j'en ai plus que marre. Je veux crever. Je serai mieux au ciel.

– Les soins mon cul... (14 mars)
– Partir. Partir...
– J'ai mal au dos, à la jambe
Et puis attendrissant.

Comme ce soir où, penchée sur lui, j'ai pris sa main. Je le regarde et cette fois je pleure. Et je reste à le regarder pendant que mes larmes coulent sur mon visage :

– Mon chéri, je t'aime tant, c'est pour cela que je pleure.

Il me regarde à m'envahir. Avec effort, il déploie difficilement les doigts de cette main droite qui ne répond plus à la commande, il va remonter vers mon visage et me caresser la joue, le nez, les lèvres :

– Maman, ne pleure pas, je guérirai un jour.

Il prend sa serviette du bout de ses doigts malhabiles et essuie mes larmes que je ne cherche plus à retenir. C'est merveilleux ce moment si riche d'amour de nous deux. Je l'aime tellement, ce fils martyrisé !

Ce moment qui a duré, c'est le plus beau que je vais garder de ces derniers jours.

... Il parle de plus en plus mal. Mais toutes les paroles prononcées le sont à bon escient. Je me suis cognée contre la table et il a dit :

– Tu ne fais jamais attention.

Sa chambre s'éveille en musique. Il lève son doigt vers la chaîne. Marie-Thérèse a quelquefois droit à un regard réprobateur si elle se trompe de disque. Il fronce aussi les sourcils quand elle veut le faire manger de force. Dans la journée, maintenant, quelques phrases seulement sortent de ses lèvres.

– Je voudrais voir Mme D. et lui dire que j'en ai marre d'être comme cela. Je voudrais aller la voir aux Enfants-Malades.

Mme D. est le médecin responsable de l'hôpital de jour de la clinique Robert-Debré aux Enfants-Malades. Je lui téléphone et la mets au courant du désir de Fabrice. Elle nous propose de venir.

... Le jeudi 10 mars, nous partons en ambulance. Fabrice est très mal et je suis obligée de demander que l'on utilise la sirène. Cette fois, ce n'est pas pour faire passer le temps ou pour amuser Fabrice. Pour la dernière fois, nous retrouvons ce lieu où nous avons déambulé pendant quinze ans. Les infirmières au visage familier viennent embrasser Fabrice. Françoise, Catherine, Marie-Claire, qui le fit tant dessiner, viennent nous tenir compagnie, nous assurer de leur affection que l'on connaît si bien. Mme D. me reçoit avec une de ses collègues.

– Fabrice va mourir. Dans quinze jours, dans deux mois, dans six mois, on ne peut pas prévoir.

C'est une femme extrêmement chaleureuse, discrète, intelligente. Elle a tout compris. Compris que nous avions besoin de repasser ici pour clore le chemin commencé.

Nous lui parlons des démangeaisons terribles de Fabrice et elle suggère de le mettre immédiatement sous perfusion, car il est très déshydraté. Après trois flacons, Fabrice commence à réagir. Le soir, nous repartons à la maison, sachant que nous ne reviendrons plus jamais dans cet espace qui représente une partie de notre vie.

Fabrice a maintenant une perfusion à demeure, ce qui facilite la prise de médicaments et la réhydratation, mais entrave ses mouvements.

Les démangeaisons reprennent d'une manière abominable.

Il commence à avoir des escarres. Je demande au médecin de lui donner de la morphine car on voit qu'il souffre. Celui-ci n'est pas d'accord. Je téléphone alors à une amie médecin et, grâce à elle, nous obtenons une ordonnance. Je la montre à mon médecin qui m'autorise à l'utiliser. En fait, il ne voulait pas en prendre l'initiative.

... Mon mari a écrit dans son carnet, le 16 mars :

« Fabrice a les yeux grands ouverts. Son regard noir plein d'étincelles est presque insoutenable parfois. Il veut dire quelque chose mais ne peut l'exprimer. Il m'arrive de baisser les yeux, tellement ma tristesse est grande de ne pouvoir le comprendre. »

... Fabrice a le visage enflé. Je lui donne de la morphine matin et soir. Mon beau-frère, qui est dentiste, vient l'examiner. Il décèle un énorme trou dans la joue. Nous faisons appel à un ami qui est stomatologue. Il le soigne de son mieux, mais ne cache pas son inquiétude. Fabrice a réussi à lui dire : « C'est long ! »

Les sourires de Fabrice se transforment en rictus. L'abcès le déforme.

Les escarres s'agrandissent. On ne peut pas le changer de position à cause de la perfusion.

J'ai inventé un système pour éviter qu'il ne se mouille, car sa peau ne supporte pas le pénilex, instrument en caoutchouc qui permet de recueillir l'urine dans un bocal. J'utilise le cône en carton des rouleaux de papier hygiénique préalablement recouvert de compresses, que j'introduis dans l'urinal. Grâce à cette installation de fortune, qui s'avère efficace, Fabrice n'a plus son lit trempé. Nous avons réussi à améliorer son confort. Même les petits maux pèsent lourd dans la balance d'une grande misère !

Fabrice se gratte à se rendre fou, malgré la morphine, la polaramine et les calmants. C'est abominable d'être les spectateurs impuissants de sa douleur.

... Jeudi 31 mars. Nous augmentons le Valium et la morphine. Laurence est revenue pour deux jours. Elle va bientôt accoucher.

... Vendredi saint. Je suis dans ma chambre pendant que les aides-soignantes donnent le bain de Fabrice. Tout à coup, un bruit sourd retentit et un cri me paralyse. Elles l'ont fait tomber.

Je prends ma tête dans mes mains et je ferme les yeux. Mon cœur a tellement mal que je reste pétrifiée, sans mouvement. J'ai peur et j'ai honte. C'est mon mari qui dévale l'escalier comme un fou pour recevoir, une fois de plus, le regard terrifié de son fils.

Ma lâcheté... N'avoir pas bougé...

Petit à petit, je me rends compte que je ne peux plus accepter cette trop grande épreuve qu'on lui fait subir. Sa souffrance me pétrifie. Nous sommes en Semaine sainte, comme le Christ, il est tombé.

Je pleure comme Marie au pied de la croix. Fabrice aura franchi toutes les étapes du Calvaire.

... Le jour de Pâques n'est pas un jour de fête.

– Je veux mourir et aller retrouver Loïc! murmure Fabrice.

... Le lundi 4 avril, la perfusion ne passe plus. L'infirmière fait l'impossible pour la remettre en place. Fabrice, les yeux affolés, suit ses gestes. Prévoit-il que la fin est proche? Il nous regarde comme un animal frappé à mort. Je lui dis que nous allons appeler le S.A.M.U., bien mieux équipé pour rebrancher la perfusion. Je le rassure de mon mieux.

La sirène a retenti dans la rue.

L'ambulance s'est arrêtée et une équipe médicale au complet est entrée dans la chambre. Fabrice respire difficilement. Le médecin responsable a eu un regard de profonde tendresse vers lui : « Nous allons te soulager. » L'infirmière s'est assise à côté de lui.

Le regard du médecin s'est ensuite tourné vers nous. Nous avons compris que nous devions sortir de la chambre avec lui.

Il nous a dit que c'était la fin et il nous a proposé de « brancher » Fabrice. Je savais ce que cela voulait dire, mais il nous a donné l'explication. Il allait lui injecter un cocktail mortel, mais c'était à nous de prendre la décision.

Nous avons demandé si on ne pouvait pas attendre un peu.

– Si c'était mon fils, je le brancherais, nous a dit le médecin. Vous ne vous rendez pas compte qu'il souffre beaucoup ?

Le silence s'est appesanti.

Il fallait prendre l'horrible décision. Mon mari et moi nous sommes regardés.

On nous demandait de décider de la mort de notre fils, mais en même temps on nous offrait la possibilité d'arrêter son calvaire. Assis, l'un en face de l'autre, nous étions comme deux malheureux qui doivent malgré eux sauter dans un précipice.

J'ai songé que j'avais donné deux fois la vie à Fabrice et que c'était cruel de me demander sa mort. L'heure de l'ultime sacrifice avait sonné. Ce cadeau d'une vie nouvelle, c'était encore nous qui allions le lui offrir. Il l'avait bien mérité.

J'aimais tellement mon fils. La mort que je lui donnais pour supprimer ses souffrances avait souvent hanté mes cauchemars. Ce courage, je ne l'avais pas eu auparavant.

J'avais voulu sa vie, il fallait que j'accepte sa mort. Avec mon mari, nous avons donné notre accord.

Il nous a alors fallu aller lui dire au revoir. Nous sommes retournés dans sa chambre pour lui donner un dernier baiser d'amour.

– N'aie pas peur, mon chéri. Ils vont te faire une anesthésie locale pour te brancher un cathéter. Tes veines sont trop mauvaises maintenant. Tu ne souffriras plus, tu n'auras plus de perfusion au bras. Je te laisse. Je t'aime.

Mon mari et moi l'avons embrassé.

Son regard, complètement paniqué un instant auparavant, s'est éclairé. Il nous faisait confiance une dernière fois. Il allait trouver le repos.

... Lundi soir. Fabrice est encore là, dans son lit immobile. Seul son souffle désordonné et rauque fait penser à la vie. Ses grands yeux noirs ont arrêté de fulminer et d'émouvoir. Il est déjà parti avec Loïc, image de la lumière. Nous, nous pleurons à son chevet. Son agonie est la mienne, tant nos deux vies ont été mêlées.

... Pendant quatre longs jours, interminablement longs, nous sommes restés à le regarder mourir.

Malgré les remèdes maudits qui passaient dans ses veines à des doses de plus en plus fortes, le cœur continuait sa folle aventure.

Je commençais à réaliser l'immensité de sa présence en moi; l'énormité du vide qu'il me faudrait combler en son absence.

Je voyais le désespoir de mon mari.

Je voyais Christophe qui avait le courage de trouver les mots d'adieux qu'il écrivait en poème à son frère bien-aimé.

... Dans la nuit du 7 avril 1988, le cœur de Fabrice a enfin cessé de battre.

Loïc, l'ami fidèle, est arrivé à la maison avec un bouquet immense. Il avait tiré les sonnettes de sa rue et demandé en toute naïveté s'il pouvait cueillir les plus belles branches des arbres en fleurs.

Le bouquet n'a pu rentrer dans la maison. Il est allé le porter à l'église Saint-Antoine du Chesnay où serait célébré le service religieux.

– L'église sera pleine pour honorer Fabrice! nous a dit le curé de la paroisse. J'avais peur qu'en cette période de vacances scolaires les gens ne puissent venir.

Famille, amis, médecins, jeunes du mouvement eucharistique, groupe du C3M... Ils ont été là. Mon oncle, le père Bourdin, âgé de 80 ans, a concélébré la messe avec le curé de la paroisse. Il était très ému : c'était lui qui avait baptisé Fabrice, déjà en danger de mort à l'hôpital de Girac, en Charente, dix-neuf ans auparavant.

Fabrice aimait les chœurs du film *Mission*. Ils l'ont accompagné pendant la cérémonie. Nous avions demandé qu'il n'y ait pas de condoléances. Mais la foule nous a bousculés, et nous a séparés, mon mari, Christophe et moi. Pendant une heure les gens ont voulu, par sympathie, nous serrer la main.

Nous avions choisi d'enterrer Fabrice à la campagne à Saint-Thomas, dans le caveau familial de mes parents. Il avait demandé à y aller, loin des bruits de la ville et des murs des hôpitaux. Des hauteurs du cimetière, on peut voir l'estuaire de la Gironde, « Rochebrune », la maison de mes parents, le moulin de mon frère Xavier; Fabrice ne sera pas seul.

Sur le parvis de l'église, quand nous sommes arrivés dans l'après-midi, une autre haie d'honneur s'était formée, villageois, amis de la région. Notre fils devait être heureux de cette dernière marque d'affection, lui, qui avait eu si peur de n'être pas aimé. En sortant de l'église, un soleil éclatant avait balayé les nuages et la pluie. A pied, nous avons pris le chemin du cimetière.

Au moment où le cercueil descendait dans la tombe, un événement troublant s'est produit. Christophe qui me tenait le bras s'est exclamé :

– Maman, regarde le ciel!

J'ai levé la tête. Juste au-dessus de nous, un nuage s'était formé et son dessin représentait une colombe.

Nous voyant la tête levée, beaucoup de gens ont suivi notre regard. Ils ont vu l'oiseau immense dans le ciel complètement bleu. J'ai pensé que mon fils avait eu la faveur de monter tout droit au ciel.

Sur le chemin du retour, entre le cimetière et la maison familiale, Christophe a mis la main dans la poche de sa veste, qu'il n'avait pas portée depuis longtemps. Il en a retiré un petit objet de porcelaine blanche : l'une de ces fèves des galettes des rois. C'était une colombe.

Deux jours plus tard, nous sommes remontés au
Chesnay. Notre ami, Bernard le potier, se trouvait devant
la porte de notre maison. Il a insisté pour nous parler. Il
venait, le jour même, d'apprendre la disparition et l'enterrement de Fabrice. Or, la veille de sa mort, il avait libéré
un oiseau prisonnier dans la gouttière de son atelier. Un
oiseau brun-or.

Mon fils, notre longue navigation s'est achevée. Je ne dirai pas Gloire au Seigneur parce que nous ne pourrons jamais oublier que ton corps a porté toute sa vie les marques d'une indicible souffrance. Mon cœur reste plein de ton courage, et de tes désespoirs : « Maman, je ne me suis jamais levé un matin sans avoir mal quelque part. »

Ta vie douloureuse, nous l'avons assumée pour t'aider à vaincre et à gagner la bataille. Je crois que tu as pu vivre ces années parce que nous t'avons accompagné dans la lutte. En vain. Tu es arrivé au bout de ton chemin après dix-neuf ans d'un combat impitoyable et inégal.

Je regarde en pleurant ce monument de vie fait de mille douleurs, de mille espoirs, de mille promesses.

Il me faut accepter de nager seule pendant que tu reposes en paix. La guerre est finie pour toi. Tu as gagné, puisque tu ne crains plus rien.

Je regarde les étoiles au firmament. Je regarde le vol des oiseaux. L'un d'eux se détache, il ressemble à une colombe, ou il est brun-or. D'un vol harmonieux, il plane dans les courants d'air. Il fait l'admiration de tous et c'est toi. Un autre l'accompagne et ensemble ils jouent avec le vent. Avec ton ami Loïc, qui t'attendait là-haut, vous rattrapez le temps perdu de l'enfance.

« Ensemble nous jouerons comme des enfants pas malades. »

Si, dans tes vols, tu rencontres Dieu, il t'arrêtera pour te parler de ta vie. Dis-lui bien qu'il se penche sur la souffrance trop dure, sur celle que l'on ne comprend pas.

Peut-être que là-haut, tu peux aussi choisir ton paradis. S'il est beau, le jardin fantastique, vas-y et attends-nous. Sinon, continue à te jouer des forces de tes ailes. Monte et pique dans l'Océan. Va explorer l'eau enfin accessible.

L'eau, cet élément si précieux que l'on t'a refusé. L'eau de mon ventre où tu as puisé ta vie : « Maman, je n'étais bien que dans ton ventre. » L'eau où tu voulais sans cesse retourner.

Je te souhaite un fleuve d'or où tu pourras plonger. Pénètre sous les vagues, glisse et remonte en fusée en éclatant de rire. L'eau coule enfin sur ton corps libéré de sa souffrance.

On t'envie, tu es le plus beau.

Chaque fois que je verrai un vol de deux oiseaux, je saurai qu'avec Loïc, tu es heureux.

Je t'aime.

ANNEXES

**Poèmes écrits par Christophe
au chevet de Fabrice, lors de son agonie**

Assis près de toi, je veille
Ton corps plongé dans un dernier sommeil
J'entends ton souffle qui s'égare
Et ta voix et ses mots
Tes sourires et tes rires
Flottent déjà comme des souvenirs
Aux longs et douloureux sanglots

Couché près de moi mon frère
Tu nous quittes définitivement
J'attends de voir dans le firmament
Briller les étoiles de tes yeux
Ton regard si pressant
Qui criait le désir d'être heureux
Et de vivre intensément.

Assis près de toi, mon frère
La nuit nous recouvre de silence
Je sens le froid qui nous unit
Et mon corps et mon âme et ma vie
Pleurent le départ de ta présence
Et les dons d'amour que tu nous fis

6.04.88
(Minuit)

Christophe au chevet de Fabrice, quelques
heures avant sa mort.

Écoute le vent
Écoute le printemps
Laisse passer le temps

Regarde la pluie
Regarde tes amis
Mais garde ta vie

C'est l'envol d'un grand oiseau blanc
Qui part vers le lointain
Dans l'azur qui s'éteint
Mais l'oiseau blanc est plus grand
Que le cœur de l'océan

Écoute la terre
Écoute la mer
Rencontre l'univers

Regarde ton frère
Regarde ton père
Regarde ta mère

N'aie pas peur tu vas bientôt dormir
Garde tes beaux secrets
Et laisse-nous nos souvenirs
Mais surtout n'aie pas peur
Car tu ne vas plus souffrir

Et pourtant je crois lire dans tes yeux
Toute la détresse de ta vie
Je comprends tes souffrances et tes adieux
Ton long martyre et ta survie
Les nuages noirs passent et s'effacent
Quand dans ses bras l'éternité t'enlace

Penché sur ton visage
Je cherche dans tes yeux
Encore un peu de vie

Mais le triste voilage
Cache le merveilleux
Regard que l'on t'envie

Car je t'aime et n'oublierai jamais
Ton regard aussi beau
Ton sourire aussi parfait
Mais tu es toujours présent
Car ton cœur bat dans mon sang
Mon oiseau blanc

Pourquoi tant de détresse?
Pourquoi tant de malheur?
Pourquoi tant de tristesse?
Pourquoi tant de douleur?

Vivre une autre vie
Vivre un autre corps
Vivre un autre esprit
Et vivre une autre mort

Assez de cette vie
Assez de la douleur
Assez de maladie
Assez de cette peur

Renaître dans la joie
Renaître dans la vie
Renaître mille fois
Mais renaître guéri

J'en ai marre de mon corps
J'en ai marre de vivre ainsi
C'est d' la merde cette vie
Je n'ai pas peur de la mort...

CHRISTOPHE pour FABRICE

Lettre de Bernard le potier, une semaine après la mort de Fabrice

J'ai l'impression de ne t'avoir rencontré qu'à ton départ, pourtant bien avant tu es passé dans mon atelier, dans cette ambiance joyeuse, bruyante et empoussiérée où tu trouvais toujours ta place. Nous étions très occupés et les moments de discussion, de travail entre nous n'étaient pas très nombreux mais je crois de qualité. Tu as fait de très belles sculptures de tes mains, souvent de formes animales et, je crois, elles ne restaient pas bien longtemps en ta possession. Ton corps parlait de ta souffrance et ton visage souvent en portait les stigmates. Puis le temps a passé et de loin en loin, j'avais de tes nouvelles soit par toi, soit par la bande. Je dois t'avouer que quand on m'a dit que tu étais malade et pour tout dire en phase terminale, il m'a fallu quelques instants pour réaliser qu'il s'agissait de toi; je suis passé te voir et là j'ai rencontré ton regard. Dans ce lit de malade où ton corps était enfoui dans ce silence dont je n'ai pas su qu'il était toute ta souffrance, j'ai encore dans mon esprit ton regard que je ne peux décrire mais qui disait ce que les mots ne peuvent dire. J'ai passé auprès de toi ces trois derniers mercredis après l'atelier et surtout le dernier, des temps de silence et je crois d'oubli de soi de grande qualité. Toi dans ta maladie et moi dans mon impossibilité de communiquer par des mots. J'ai dans mon propre atelier une amie qui vient faire de la sculpture et qui par ailleurs participe à un groupe de prière et je lui ai demandé de prier pour toi avec le groupe et cela tu le sais car au moment de leur prière, tu as été réveillé par tes parents à ma demande et tu as essayé d'être en communion avec eux à 20 h 30.
Ce que tu ne sais pas, c'est qu'après le départ de mon amie de mon atelier et au moment de refermer la porte, j'entends un bruit dans la descente de la gouttière située à côté de la porte, ça grattait, ça bougeait désespérément dans cet étroit tuyau qui faisait un coude, et, en déboîtant le coude, je vis à ma stupéfaction un bel oiseau s'envoler dans l'espace, il était brun-or, je n'ai pas pu en voir plus. J'ai compris, senti, très ému, que tu allais enfin être libre, que ce tunnel qu'avait été ta vie allait prendre fin et quand j'ai su à Pâques que tu étais parti, loin d'être peiné j'en ai été heureux pour toi, pour ta liberté retrouvée.

Fabrice, à bientôt, BERNARD

**Témoignage de Jean-Claude Lombard,
psychologue au *Bel Air***

Fabrice était né le 15 décembre 1968.

Il était entré à l'institut médico-éducatif du Bel Air, au
Chesnay, le 3 septembre 1985, il allait avoir dix-sept ans trois
mois plus tard.

Fabrice a fréquenté notre établissement jusqu'en février
1988, il était dans sa vingtième année. Depuis quelques mois,
l'aggravation de sa maladie compliquait sa possibilité de venir
retrouver ses camarades.

Le 31 mars, il a cessé de faire partie, administrativement,
des effectifs de l'établissement, alors que, sous bien des rapports, un lien important demeurait entre lui et nous.

Il est décédé le 7 avril à son domicile.

Le 9 avril, son corps était honoré à l'église Saint-Antoine
du Chesnay, avant d'aller rejoindre une terre familiale en Charente.

Deux ans et demi parmi nous pour ce garçon dont le
drame était, il le rappelait souvent, de n'être pas « comme les
autres ».

J'aimerais situer comment Fabrice semble avoir affronté
selon sa manière singulière et unique ce qui lui a été donné,
sinon imposé, de vivre et d'éprouver.

Un seul moyen pour cela, sa propre parole.

Son discours répétitif, insistant, au sens large, reste
l'unique voie pour approcher sa vérité. Sujet malade certes,

mais non totalement identifié à sa maladie; capable d'en parler, de la haïr aussi, d'en chercher, même sans réponse, un sens possible.

Dès son entrée à l'I.M.E., et de façon concertée, on a essayé de traiter Fabrice « comme les autres », de faire « comme si ». Pour répondre à sa demande la plus immédiate, être comme tout le monde. De restreindre une certaine utilisation de sa maladie que Fabrice maniait très bien.

Le régime commun a bien marché quelques mois mais n'a pu tenir; il a fallu prendre en compte les absences, la fatigabi- lité, le régime alimentaire, certaines nuisances comme la pous- sière, etc. Ces premiers mois nous ont fait toucher une limite; nous ont fait rencontrer la réalité d'une maladie progressive- ment invalidante et pour laquelle aucun moyen de guérison n'existait. Rencontre d'une personne ayant toujours été malade, dont l'histoire individuelle est celle d'une maladie, d'un itiné- raire hospitalier, de « sa maladie ».

Fabrice et moi-même ne sommes jamais sortis de cette alternative sans issue et dans laquelle il fallait bien demeurer : impossible de faire « comme si » et nécessité d'être un sujet à part entière et non une maladie vivante.

Fabrice fréquentait l'atelier bois. Lent, il put néanmoins réaliser des objets dont il était très fier. Il avait créé de ses mains, à partir de son corps et sur un autre registre que celui du dessin, toujours très lié aux séjours hospitaliers. L'éducateur pensait que Fabrice n'avait jamais réellement investi l'activité du travail sur bois. C'était d'abord pour lui la possibilité de faire passer le temps d'une manière non vide, au milieu des autres et avec des objectifs : une matière, un début, un achèvement posi- tif. Cette « justification » ponctuelle du temps allait ainsi à l'encontre pour Fabrice de cette durée pleine de non-sens parce qu'il la savait, même confusément, constamment por- teuse de mort.

Fabrice allait en classe. Son niveau était faible mais il lisait avec compréhension. Au milieu de ses camarades, il était loin d'être le plus démuni et le savait. Il était reconnu parmi les gar- çons intelligents. Il n'investissait pas les activités scolaires, sa satisfaction était de suivre le régime commun. Déjà, il commençait à souffrir d'une lenteur dans l'idéation, de difficultés à se concentrer. En fait, il ne retenait que ce qui était lié à une expérience affective, le « savoir en soi », à quoi cela lui aurait-il servi ? Il aimait la classe comme lieu de vie, échanges, confrontation aux autres.

A l'artisanat, un travail en cours était important pour lui. C'était la vie qui continuait. Avoir à construire pour ne pas se laisser détruire.

Fabrice fut très présent dès le début dans l'institution. Ses traits étaient déjà marqués, vieillis. Il se montrait fatigable et d'une énergie restreinte. Par contre, il vivait les autres comme en pleine santé et il était capable d'être violent.

Ses affrontements avec ses camarades étaient le prétexte à exprimer sa révolte. C'était comme s'il voulait à la fois éprouver sa force et ressentir une communication vitale. Il donnait l'impression de décharger une souffrance accumulée et une profonde rancœur. Ras-le-bol de la dépendance, des plaies cachées, de l'image que lui renvoyaient certains jeunes sans ménagement : « t'es moche, t'es pelé », les adolescents sont parfois cruels entre eux.

C'était peut-être mieux ainsi ! l'agressivité est un mode de survie, on ne peut l'ignorer ou l'oublier. Le repli narcissique, l'abandon à une destinée implacable sont plus mortifères.

Un jour, il fuguera parce qu'on lui avait dit : « t'es moche, ta mère t'a loupé »; une autre fois parce qu'on l'avait traité de « fils de pute ». Très susceptible, en même temps il était très sensible aux amitiés et à certains liens privilégiés; il avait besoin d'entrer en relation, finalement d'aimer et d'être aimé.

Il jouait bien au ping-pong. Dans l'action, il se sentait normal, comme ses partenaires. Moments importants qui maintenaient en lui une image positive, un dynamisme vital, qui ne faiblit que sur la fin de son séjour.

En 1986, son groupe partit pour faire du ski. Il y avait un risque mais nous étions prêts à l'emmener malgré cela.

Ce fut un moment important, un tournant. Fabrice décida de rester au Chesnay. Une attitude de retrait s'est alors accentuée et sa situation s'est marginalisée. Il me confia alors que ce qu'il redoutait le plus, c'était le regard des autres sur ses plaies qu'il aurait à découvrir en se déshabillant. Sa maladie était visible au-delà des lèvres fissurées. Il voulait toujours cacher au maximum ce qui était pour lui le signe inscrit dans sa chair d'une « insupportable différence ».

Les marques, les stigmates, Fabrice les portait sur lui. Il n'a jamais pu les voir que comme « honteuses, laides, haïssables ». Son image, celle que les autres voyaient, n'appelait aucun investissement narcissique positif pour la cohésion de son moi.

« Je ne me regarde pas », m'avait-il dit « ça me donne le cafard, mais les autres me voient... »

Fabrice se rendit compte qu'il échappait, de ce fait, à la dynamique de l'ensemble [1].

Fabrice a très vite parlé de stages à l'extérieur. Il eût fallu qu'ils annoncent un projet d'insertion professionnelle. Les contraintes des soins, les épisodes infectieux, les hospitalisations le rendaient souvent inapte au travail.

Fabrice savait cela, ne voulait pas le savoir, tenait un discours comme si les barrières n'existaient pas.

Il fallait alors naviguer avec lui dans des eaux un peu floues, ne pas lui mentir mais ne pas étouffer l'espérance.

Fabrice finit par être accepté comme il était; lui, sembla ne jamais s'accepter.

Son désarroi, sa sensibilité et sa souffrance à vivre une « réelle solitude », il ne les montrait pratiquement jamais. C'est seulement dans les échanges particuliers qu'il pouvait en parler, se confier, se laisser aller...

Nos échanges tournaient autour de quatre thèmes : sa maladie, son désir de travailler, le projet d'écrire son histoire, sa révolte ou, comme il disait, son « ras-le-bol ».

Travailler pour se situer socialement parmi les autres. Il revenait souvent sur son passé, sur des lieux où il avait eu sa

---

1. A la maison, Fabrice parla beaucoup du camp. Il décida même d'y aller. Il en rêvait, surtout sachant que M. Lombard serait du voyage et se proposait de l'aider. Il eut peur et ne voulut pas partir. Sa honte à risquer de devoir montrer son corps aux autres le retint. Il ne faut pas oublier que ses bourses étaient crevassées et que c'était pour lui une douleur physique constante et une blessure morale inimaginable. Une atteinte visible à son intégrité d'homme.

place à part entière. S'il demandait des stages, c'était pour se placer à égalité vis-à-vis des autres. Je crois qu'il savait que j'avais compris cela et que derrière sa demande d'aller travailler il y en avait une autre à laquelle on ne pouvait répondre... mais on jouait le jeu, comme si nous savions et admettions qu'on ne peut avancer trop vite dans la perte des illusions !

Écrire son histoire qu'il me dictait parfois était un projet tenace sur lequel il revenait. J'entendais là un moyen de faire revivre des moments heureux, des heures où l'enfance ne comporte pas les affrontements de l'adolescence.

C'était le moyen de parler de lui à travers d'autres en s'impliquant moins directement.

A chaque fois qu'il évoquait la mort de son ami Loïc, c'est aussi de sa propre destinée qu'il parlait. Il fut longuement question de sa cousine Marie qui fut hospitalisée à Saint-Louis.

« Il va falloir qu'elle lutte, comme moi », disait-il.

Il souhaitait qu'elle guérisse et, en même temps, inconsciemment, le redoutait car il eût été privé d'un rapprochement, d'une communauté de destins.

– Écrire son histoire : je me disais, tant que l'histoire continue, la vie continue, ce n'est pas fini. C'était aussi l'occasion de me dire ce qu'il avait été par moments, et donc, ce qu'il aurait pu être : il avait fumé avec des copains, fait des « conneries », piqué des trucs un jour, comme les autres... comme tout le monde.

– Fabrice n'a jamais accepté sa condition, sauf, sans doute, dans les derniers temps. A ce moment-là, il put souhaiter lâcher prise, trouver la paix, à l'image de Loïc, auquel il s'identifiait davantage.

L'agressivité était, pour lui, le moyen de la lutte, une forme d'expression, d'instinct de vie. Sans cela, il eût probablement sombré dans la dépression et même, peut-être, dans une certaine confusion mentale.

– Parler de sa maladie, c'était raconter sa vie. Ce qui était inscrit dans sa chair, dans la vision des autres à l'hôpital.

C'était me dire les contraintes qui y étaient liées : les perfusions entre autres, les restrictions que son état lui imposait : pas d'efforts prolongés, le régime, l'aseptie multiforme, pas de camps avec les autres, les allergies.

Il convenait, dans les bons jours, qu'il avait envie « d'emmerder le monde » pour rétablir un peu la justice.

Je rêvais pour lui de sublimation, d'accès à une paix intérieure, sans trop oser lui suggérer cette voie à laquelle je ne le sentais pas prêt.

Dans les derniers temps, après la consultation à l'hôpital Saint-Louis, la question s'est posée de savoir si cela valait la peine de vivre ainsi. Lui seul pouvait répondre et il le sentit, je crois, pour la première fois.

Cette consultation à Saint-Louis, qui se situe fin 87, eut une grande importance, selon moi. Ce n'était plus les Enfants-Malades et Fabrice relevait là d'une section d'adultes.

C'était à la fois une perte et l'ouverture à un questionnement personnel.

Fabrice a vraiment entendu, nous en avons parlé, qu'il n'y avait actuellement aucun moyen de guérison. L'interrogation concernant le choix de s'aménager ou non avec la réalité quotidienne sans leurre commençait d'exister chez lui.

C'est à partir de là qu'il fut moins bien. Il demandait un lieu de soins où il pût vivre avec des occupations dans la journée, sans doute dans le sens d'un retour à ce qu'il avait connu de meilleur par le passé, d'un retour vers l'enfance.

Fabrice s'est battu pour vivre, pour continuer d'exister. On ne peut oublier que, dans cette lutte, il était loin d'être seul. Mais cela c'est une autre histoire, une autre dimension du même drame qu'il ne m'appartient pas d'évoquer.

L'idée que soient enfin suspendues les tensions, le fantasme d'un retour à un « paradis perdu » ont aidé Fabrice, particulièrement à partir du jour où il lui fut dit qu'il n'y avait pas de guérison possible. Ce fut un renversement chez Fabrice.

Il avait eu sa part, plus que sa part, des castrations communes à tout être humain, avec et depuis la naissance. La dernière, celle de la mort, Fabrice l'avait connue chez les autres mais ne l'avait pas affrontée réellement de façon personnelle. Il se familiarisa avec l'idée d'un départ, d'une rupture, d'une autre vie, d'un état où il n'y avait jamais eu de souffrance, de deuil, de haine.

Je crois que Fabrice a pu accéder tard, trop tard ? nul n'en était maître, à l'acceptation de son destin. « Comme les autres », cette fois, bien que de façon singulière, il a dû se soumettre à ce qui s'imposait sans appel possible : le réel.

Il lui restait l'acquiescement, l'acceptation jusqu'alors impossible. Je pense que le oui est advenu chez lui et, en ce sens, il est parti grand, pleinement humain.

Je disais en commençant qu'on avait honoré, à l'église, ce corps qui avait tant souffert. Ceux qui l'ont connu doivent savoir qu'il a été en définitive, comme il a pu, profondément un homme qui a su faire de sa mort une sorte de oui à la vie.

Je le remercie de m'avoir appris, annoncé jusqu'à la fin que cela demeure possible.

Un de ses amis,
Jean-Claude Lombard

Cet ouvrage a été réalisé par la
SOCIÉTÉ NOUVELLE FIRMIN-DIDOT
Mesnil-sur-l'Estrée
pour le compte de France Loisirs
123, boulevard de Grenelle, Paris
en janvier 1992

Imprimé en France
Dépôt légal : janvier 1992
N° d'édition : 25687 - N° d'impression : 19705